COMEDIAS

SOLDADESCA. TINELARIA. HIMENEA

clásicos castalia

COLECCIÓN FUNDADA POR
DON ANTONIO RODRÍGUEZ-MOÑINO

DIRECTOR
DON ALONSO ZAMORA VICENTE

Colaboradores de los volúmenes publicados:

Andrés Amorós. Farris Anderson. René Andioc. Joaquín Arce. Eugenio Asensio. Juan B. Avalle-Arce. Francisco Ayala. Hannah E. Bergman. Bernardo Blanco González. Alberto Blecua. José Manuel Blecua. Laureano Bonet. Carmen Bravo Villasante. María Josefa Canellada. José Luis Cano. Soledad Carrasco. José Caso González. Elena Catena. Biruté Ciplijauskaité. Evaristo Correa Calderón. Bruno Damiani. Cyrus C. de Coster, Albert Dérozier. José M. Díez Borque. Ricardo Doménech. John C. Dowling. Manuel Durán. José Durand. Rafael Ferreres. Yves-René Fonquerne. E. Inman Fox. Vicente Gaos. Salvador García. Luciano García Lorenzo. Joaquín González-Muela. F. González Ollé. Ernesto Jareño. R. O. Jones. A. David Kossoff. Teresa Labarta de Chaves. Carolyn R. Lee. Isaías Lerner. Juan M. Lope Blanch. Francisco López Estrada. Luisa López-Grigera. Leopoldo de Luis. Felipe C. R. Maldonado. Robert Marrast. Marina Mayoral Díaz. D. W. McPheeters. Guy Mercadier. Ian Michael. Miguel Mihura. José F. Montesinos. Edwin S. Morby. Marcos A. Morínigo. Luis Andrés Murillo. André Nougué. Joseph Pérez. Jean Louis Picoche. John H. R. Polt. Antonio Prieto. Arturo Ramoneda. Jean-Pierre Ressot. Francisco Rico. Dionisio Ridruejo. Elias L. Rivers. Julio Rodríguez Luis. Leonardo Romero. Juan Manuel Rozas. Fernando G. Salinero. José Sanchis-Banús. Russell P. Sebold. Dorothy S. Severin. Margarita Smerdou Altolaguirre. N. Spadaccini. Jean Testas. José Carlos de Torres. José María Valverde. Stanko B. Vranich. Frida Weber de Kurlat. Keith Whinnom. Anthony N. Zahareas.

BARTOLOMÉ DE TORRES NAHARRO

COMEDIAS

SOLDADESCA. TINELARIA. HIMENEA

Edición,
introducción y notas
de

D. W. McPHEETERS

Madrid

Zurbano, 39 - Madrid (10) - Tel. 419 58 57

—

Impreso en España - Printed in Spain
por Unigraf, S. A. Fuenlabrada (Madrid)

Cubierta de Víctor Sanz

I.S.B.N.: 84-7039-029-5
Depósito Legal: M. 11.034-1981

SUMARIO

A mi querida esposa Anna Bess

INTRODUCCIÓN BIOGRÁFICA Y CRÍTICA

Por la carta que un tal Barberius escribió al distinguido humanista francés Josse Bade y por el privilegio pontificio de León X, que figura en los preliminares de la *Propaladia* (Nápoles, 1517), sabemos que Bartolomé de Torres Naharro era de apellido Naharro y nacido en Torre de Miguel Sexmero, provincia de Badajoz.[1] Supuestas alusiones autobiográficas, como la inmediata que tomamos de la *Comedia Jacinta*, escrita hacia 1515, indican que el dramaturgo hubo de nacer por el año de 1485:

> que he perdido en esta cuenta
> los mis años más floridos
> que fueron como escojidos
> desde los quince a los treinta.

Después de realizar algunos estudios, tal vez sin obtener título alguno, y tras haber recorrido Andalucía y Valencia, según otras reminiscencias, Torres Naharro llegó a Italia en los primeros años del siglo XVI, probablemente como soldado.[2] Según Barberius sufrió un

1 M. Menéndez Pelayo, "Bartolomé de Torres Naharro y su *Propaladia*", *Estudios y discursos de crítica histórica y literaria*, ed. nacional, Santander, Aldus S. A., 1941, VII, p. 272.

2 J. E. Gillet, *Propalladia and Other Works of Bartolomé de Torres Naharro*, Philadelphia, University of Pennsylvania Press, 1961, IV, p. 402. El Profesor Otis H. Green ha hecho la valiosa labor de editar este tomo póstumo.

naufragio y cayó prisionero de los moros, siendo luego rescatado; esta su permanencia en África, si es que la hubo, tuvo que ser breve porque en ninguna de sus obras se revela el conocimiento de la región que tenían Cervantes y otros, bien que no falten alusiones al duro empleo en las galeras. También es posible que a semejanza de Betiseo en el *Diálogo del Nascimiento,* fuese atacado por ladrones mientras andaba por la costa de Italia.[3]

Los ejércitos del Gran Capitán Gonzalo Fernández de Córdoba luchaban allí, victoriosamente casi siempre, desde 1495; poco después empezaron las incesantes campañas de César Borja. Hay un recuerdo nostálgico de los buenos tiempos pasados a las órdenes de estos capitanes, tan magnánimos con su tropa, en nuestra *Comedia Soldadesca,* lo mismo que una referencia al padre de César Borja, el Papa Alejandro VI. De estirpe española, este pontífice creó un ambiente acogedor para sus compatriotas y nombró cardenal de Santa Cruz a Bernardino de Carvajal en 1493.[4] Parece ser que a principios del año de 1516 Torres Naharro abandonó el palacio de Julio de Médicis para entrar al servicio del cardenal extremeño, placentino, a quien dedica la edición suelta de la *Tinelaria.*[5] No sabemos cuando dejó la milicia para servir a los cardenales, pero en la *Soldadesca* hay una expresión desengañada de la vida militar, y a pesar del tono burlesco de la pieza se advierte un fondo compasivo por las miserias que padecen los soldados españoles, víctimas de capitanes poco escrupulosos. Tampoco le debió de lucir mucho más la vida en palacio, de donde saldría lo comido por lo servido, y ni aun eso, si la *Tinelaria* es reflejo de la realidad, como se afirma en el "Prohemio" de la *Propaladia.*

Casi todas las obras de Torres Naharro pueden relacionarse con su vida, pero nos limitaremos de momento

3 *Ibid.*, IV, p. 404.
4 Menéndez Pelayo, VII, p. 274.
5 Gillet, *Propalladia,* IV, p. 404.

a formular algunas consideraciones sobre una época clave, comprendida entre los años de 1513 y 1517; año aquel en que Julio de Médicis fue nombrado cardenal por su primo León X, y este otro cuando el autor dedica la *Propaladia* a Fernando d'Ávalos, marqués de Pescara, y a su mujer Vittoria Colonna, mencionando como protector al padre de esta dama. Quién sabe si alguna de las mujeres cultas y refinadas de aquella época pudo ayudar al dramaturgo haciendo algún elogio suyo ante personas de influencia. Asimismo es posible que nuestro escritor tan sólo comenzase a tener un éxito modesto tras la brillante temporada que Isabella d'Este —inspiradora de Divina en la *Comedia Jacinta*— pasó en Roma durante los meses del otoño e invierno de 1514-1515.[6] La sola mención de estas dos damas, tan distinguidas de entre todas las de la Italia contemporánea, es bastante para recordarnos el gran papel que desempeñaron en la cultura renacentista.

Pero si Torres Naharro pudo buscar el arrimo de algunos de los protectores más poderosos de Roma y Nápoles, lo cierto es que unas cuantas comedias suyas, representadas en la corte de León X, tan aficionada a toda clase de diversiones,[7] no le sacaron de apuros precisamente. Interesan, pues, unos datos que permitan precisar quién era el cardenal cuyo palacio sirve de escenario para el despilfarro que los criados cometen en la *Tinelaria.* Disfraza el autor a su amo con estos títulos imaginarios:

6 J. P. W. Crawford, "Two Notes on the Plays of Torres Naharro", *Hispanic Review,* V (1937), pp. 76-78. John Lihani, "New Biographical Ideas on Bartolomé de Torres Naharro", *Hispania,* LIV (1971), pp. 828-835. La idea de que el criado Pagano es portavoz de Torres Naharro en vez de Jacinto está bien desarrollada, excepto que puede haber un desdoblamiento de personajes en esto y la conclusión de que Pagano (Torres Naharro) es un morisco converso exige más investigación. Un *converso* no va a jurar por Mahoma como hace Pagano.

7 Véase Herbert M. Vaughan para conocer una descripción detallada de las aficiones de León X en *The Medici Popes,* New York, G. P. Putnam's Sons, 1908, pp. 160-191.

Prestamente,
por ser su fama excelente,
fue Cardenal de San Iano,
y llamado vulgarmente
el Cardenal de Bacano.
(Introito, vv. 130-133)

Gillet vacila entre asociar estas líneas con el cardenal Médicis o con Carvajal.[8] Es verdad que el "prestamente" aplicado al nombramiento pudiera señalar al primo del papa, pero de igual manera valdría para señalar a otros varios; de mayor importancia es la certeza de que monseñor de Bacano, "si miráis, será papa sin contrario" (II, vv. 426-427). Ahora bien, ya en 1517 las *Epistulae Oscurorum Virorum* difundían por Alemania la noticia de que el "... Cardinalis s. Crucis, qui debet fieri papa quando ille Papa moritur...".[9] Asimismo hace notar Gillet atinadamente que si el apodo Bacano se deriva del italiano "baccano", "estrépito de muchas personas", conviene mejor al carácter alegre del cardenal Carvajal que no al de Julio de Médicis, frío y reservado. Veamos ahora estas palabras de Menéndez y Pelayo:

> A la sombra pues de este terrible paisano suyo, en quien grandes cualidades de elocuencia y varia cultura, de talento político, de magnificencia y brío personal estaban oscurecidas por la ambición, el nepotismo y la prodigalidad, vivió Torres Naharro, sin duda en condición bastante humilde...[10]

No podemos por menos de recordar que cuando Carvajal acaudillaba un concilio cismático adverso a Julio II, los niños de las calles de Milán le llamaban en son de burla el "papa Carvajal".[11] Pero después de re-

8 *Propalladia* I, p. 80; III, pp. 459-460, 492-493; IV, pp. 406, 475-476, 511.
9 Ed. y traducción al inglés por Francis Griffin Stokes, New Haven, Yale University Press, 1925, p. 177.
10 *Op. cit.*, p. 275.
11 Vaughan, *op. cit.*, p. 73.

conciliado con León X, precisamente en 1513, había recobrado su poderío y Torres Naharro halagaba sus pretensiones. El tinelo, por consiguiente, pudiera más bien situarse en la casa del cardenal Carvajal, su protector y a quien dedicó la comedia suelta *Tinelaria*, pues aunque Julio de Médicis aparezca como "patrón" con motivo de la representación, fue Carvajal quien le pidió una copia de la pieza y el que le animó a estampar sus obras. Torres Naharro contestó que hasta entonces no había publicado ninguna ni tampoco se las habían pedido. Esto sucedería en 1516, un año antes que la *Propaladia* de 1517, porque es dudoso que su necesitado autor vacilara mucho tras la recomendación del cardenal de Santa Cruz. Parece, sin embargo, que tales relaciones no fueron duraderas, puesto que cuando sale la *Propaladia* ya se dirije a nuevos mecenas. No obstante, muy bien pudo el gran prelado español haber ayudado a su familiar.

Barberius le ha llamado "clericus Pacensis diocesis", y con cierta ligereza se ha conjeturado que luego de algunos estudios universitarios, Torres Naharro se ordenó de sacerdote para después colgar los hábitos y hacerse soldado, como el Liaño de la *Soldadesca*. [12] Pero tal vez el autor no consiguió beneficio alguno sino mucho después. En la dedicatoria de la *Tinelaria* no se declara la condición sacerdotal; ello no quita para que en esa misma pieza haya reiteradas alusiones a los pretendientes de beneficios eclesiásticos. Así, por ejemplo, hay un largo párrafo en que Godoy pregunta por la "negra suplicación" de Osorio, y acto seguido de aludir al monseñor que será papa, aconseja de esta manera al solicitante: "D'ese modo no os partáis, / que abréis un confesionario". Osorio responde: "Pues también me pienso yo / ser obispo en mi tierra". Y Godoy, amargado por la vida militar, concluye: "Pensando ganar, murió / mi padre yendo a la guerra" (II, vv. 397-444).

12 Gillet, *Propalladia*, IV, pp. 402-403.

El autor insiste en el tema; y más tarde, Manchado dice: "Vengo por un beneficio / que me dé que vista y coma" (IV, vv. 353-354); de igual modo el Escalco, otro de los necesitados, se lamenta:

> Toda mi vida serviendo
> y pobre ansí como ansí,
> parece que van huyendo
> los beneficios de mí.
> ¡Gran afán!
> ¿Y no me proveerán
> a lo menos de una ermita?
> Pero como me la dan,
> luego el otro resucita.
> Sé decir
> que quien quisiere vivir
> hágame dar su vacante:
>
> (V, vv. 5-19)

Hablan después sobre la vacante y de cómo el cardenal tiene que escoger al mejor calificado, pues hay pretendientes que no la merecen, para concluir:

> Mas los buenos,
> de pura vergüenza llenos,
> padecen de dos en dos,
> y consuélanse a lo menos
> que estarán con Dios.
>
> (V, vv. 60-64)

El cardenal no solamente oyó estas peticiones sino que además poseía una copia de ellas. Nada, pues, tiene de extraño que muy pronto, tal vez en el año siguiente, el autor ya se declarase "clérigo de la diócesis de Badajoz". [13]

[13] Marcel Bataillon escribe tan luminosamente como siempre sobre estos diálogos, y llega a la conclusión distinta, justo es reconocerlo, de que el fracaso de sus pretensiones explica la partida "inesperada" del autor para Nápoles adonde, según Barberius, llegó *expectatus*. Pero dado el carácter díscolo de Carvajal y las intrigas eclesiásticas constantes todo sería posible. Véase "Le Torres Naharro de Joseph E. Gillet", *Romance Philology*, XXXI (1967), pp. 159-160.

Con la publicación de la *Propaladia* parecen acabar las actividades del escritor en Italia. Hay reimpresiones sevillanas de 1520 y 1526, por Juan Cromberger, con adiciones sucesivas de la *Calamita* y de la *Aquilana*. El hecho de que estas nuevas comedias presenten una creciente influencia andaluza, es causa de bastantes conjeturas acerca de su vida en Sevilla, donde sería familiar de D. Baltasar del Río, obispo de las Escalas, a cuyas justas poéticas contribuyera, por lo que se sabe, al menos con una composición. Pero en esta ocasión es muy difícil aducir fechas; el poeta hubo de morir antes de 1531, y últimamente se ha sugerido la posibilidad de que falleciera en 1520.[14]

[14] Gillet, *Propalladia*, IV, pp. 413-417. Américo Castro y su discípulo Stephen Gilman insisten en que Torres Naharro fue "uno de tantos conversos del judaísmo que hallaron refugio en Italia", pero su estilo mordaz y censuras eclesiásticas fácilmente pueden reflejar frustraciones y observaciones personales. La exaltación de la Virgen en estos versos, "que del humano saber, / a quien sois o podéis ser, / no hay ninguna proporción", no refleja una tradición mística islámica, sino una tendencia neoplatónica del ambiente renacentista a exaltar lo divino. El regreso a España de Torres Naharro sería otro argumento contra su judaísmo. Francisco Delicado no sólo se quedó en Italia, sino que demostraba bastante simpatía y familiaridad con los judíos, como indica bien Bruno Damiani en su edición de *La lozana andaluza*, Madrid, Clásicos Castalia, 1969, p. 13. *V.* la n. 7 arriba.

Gilman señaló hace tiempo que el fuerte contraste "humano-divino" es un caso de ascetismo barroco en Avellaneda, olvidándose de que el mismo Cervantes dijo, "cosas te pudiera yo decir de los linajes, que te admiraran; pero por no mezclar lo divino con lo humano, no las digo" (II, cap. VI), y en la página siguiente auna conceptos barrocos con una cita de Garcilaso. No nos olvidamos de que para Cervantes *La Celestina* sería "libro ... divino, si encubriera más lo humano". También hay otras citas parecidas en el prólogo y capítulo XXXIII de la primera parte del *Quijote*. Sin embargo, aún queda más por dilucidar sobre los matices barrocos de estos conceptos. Véanse S. Gilman, *Cervantes y Avellaneda*, México, Colegio de México, 1951, pp. 39-40, y mi nota "Cervantes' Verses on *La Celestina*", *Romance Notes*, IV (1963), pp. 136-138. Gillet discute los términos "humano", "divino" separadamente en *Propalladia*, IV, pp. 84-90, 342-343. Torres Naharro halla en Bembo el fuego divino que purifica lo celestial del alma humana, según O. H. Green, *Spain and the Western Tradition*, Madison, University of Wisconsin Press, 1963, I, pp. 127-128.

En cuanto a Castro, nos referimos a *La realidad histórica de España*, México, Editorial Porrúa, 1966, pp. 184-185; *La Celestina como contienda literaria*, Madrid, Revista de Occidente, 1965, p. 82; y su respuesta a Révah y Asensio en el artículo polémico en *Insula*, "Sobre el no querer entender nuestra historia", año XXII, n.º 247 (junio, 1967), p. 12, con las contestaciones de Eugenio Asensio y I. S. Révah en los

Para rematar este bosquejo biográfico transcribiremos el retrato físico y moral que de Torres Naharro nos proporciona la mencionada carta latina de Barberius:

> De rostro afable, de estatura alta, esbelto y modesto de cuerpo, grave al andar, poco hablador, y esto sólo después de haber pensado y meditado. Además, a la abstinencia de todo vicio está unida toda virtud.[15]

Torres Naharro en el "Prohemio" a la *Propaladia* expone una preceptiva de la comedia, y sus observaciones han venido siempre repitiéndose, aunque a veces con harto descuido. Es el primer teórico que da a la imprenta unas reglas para el nuevo género, y conviene aquí recordar la lentitud con que posteriormente los italianos desarrollaron los comentarios a la *Poética* de Aristóteles. Empieza el autor con una distinción de los gramáticos, en especial Donato, de que la comedia representa la suerte civil y particular de los individuos sin riesgo de su vida, mientras que la tragedia se ocupa de la fortuna heroica en la adversidad. Según Cicerón, advierte que la comedia es imitación de la vida, espejo de las costumbres e imagen de la verdad.[16] Luego enumera seis tipos de comedia, conforme a los vestidos o a los escenarios; las cuatro partes de que consta; los cinco actos en que la divide Horacio; y tras de señalar el punto del decoro, termina: "Todo lo cual me parece más largo de contar que necesario de oír. Quiero ora decir yo mi parecer...". Esta impaciencia, tan española, frente a la pedantería, se expresa con igual desenfado que lo hará Lope de Vega en su *Arte nuevo de hacer comedias.*

De modo característico, Torres Naharro concibe la comedia como "un artificio ingenioso de notables y

---

números 251 y 253. Gilman tiene además el artículo muy sugestivo, "Retratos de conversos en la *Comedia Jacinta* de Torres Naharro", *Nueva Revista de Filología Hispánica*, XVII (1966), pp. 20-39.

15 Gillet, *Propalladia,* I, p. 144.

16 *Ibid.*, I, pp. 141-143.

finalmente alegres acontecimientos por personas disputado" —ninguna pieza suya tiene desenlace trágico. Hay que subrayar el concepto de "ingenioso", porque la "invención" es precisamente un rasgo muy específico de la comedia del Siglo de Oro. La frase "por personas disputado" significa que los actores deben representar con emoción y no "recitar" o meramente narrar la acción, como se hacía en aquella época. El autor acepta la división en cinco actos, pero usa una palabra original, "jornadas", con el sentido de "descansaderos" para que el auditorio no se fatigue y pierda el interés.[17] Acaso había observado como Isabella d'Este y sus inquietas damas se aburrían con las aparatosas representaciones de Plauto y anhelaban los intermedios divertidos.[18] El término "jornada" hizo fortuna y sería el predilecto de Calderón y su escuela. También parece que Torres Naharro comprendiera la posibilidad de utilizar las jornadas para indicar el paso del tiempo; mientras que Encina y Lucas Fernández, lo mismo que otros dramaturgos iniciales, empleaban un número indeterminado de escenas.[19]

El precepto clásico que reduce a cuatro el número máximo de personajes, le parece al comediógrafo excesivamente limitado y monótono; así que recomienda el uso de seis y hasta doce figuras, como él practica en todas sus piezas, con excepción de la abigarrada *Tinelaria* que tiene veinte. El decoro, "dando a cada uno lo suyo", es muy importante y consiste en el tratamiento adecuado para cada carácter, inspirándole acciones apropiadas y en armonía con un fondo triste o alegre. Obsérvese que "decoro", en este sentido, carece de implicaciones morales.

Después de aludir a la confusión corriente sobre los géneros de la comedia, el dramaturgo confiesa que "a mi parece que bastarían dos para en nuestra lengua

17 *Ibid.*, IV, pp. 435-436, 455.
18 Jacob Burckhardt, *The Civilization of the Renaissance in Italy*, New York, Phaidon Publishers, Inc., 1950, p. 192.
19 Gillet, *Propalladia*, IV, p. 457.

castellana: comedia a noticia y comedia a fantasía". La primera "se entiende de cosa nota y vista en realidad de verdad, como son *Soldadesca* y *Tinelaria*", y la segunda, como *Himenea* y *Serafina*, "cosa fantástiga [*sic*] o fingida que tenga color de verdad aunque no lo sea". Es decir, piezas verídicas y piezas verosímiles; división que sólo en parte se corresponde con la de comedia de costumbres y comedia romántica que propone Crawford.[20] No obstante lo preceptuado por Torres Naharro, en *Himenea* existe una importante dosis de veracidad, no es, pues, la *comedia a noticia* la única que presenta tipos en los que se vislumbra el individualismo de los caracteres.[21]

Luego, con cierta premura, dice que dos partes bastan para la comedia: introito y argumento; y se nos figura otra vez que tenemos una novedad del autor, quien añade enseguida que si los discretos quieren más o menos partes se pueden poner o quitar. En la práctica de nuestro dramaturgo, el introito, recitado en dialecto sayagués casi siempre por un rústico (salvo en la *Tinelaria*), empieza con una salutación, seguida de un monólogo cómico que muchas veces incluye la descripción detallada de unas aventuras eróticas, para terminar con un resumen del argumento o historia que luego tendrá lugar.[22] Este recurso parecía necesario para un género nuevo todavía informe; bien que la sinopsis previa del argumento deriva de la comedia clásica y aún podemos agregar que un siglo después, cuando ya la comedia es un género más elaborado, muchas veces hay un personaje que recapitula con habilidad los sucesos que han determinado una cierta situación. Estos rústicos nos recuerdan a los pastores de Juan del Encina, pero los de Torres Naharro son mucho más listos y de índole superior al bobo o simple que perdura en la comedia peninsular durante bastante tiempo. Las

20 J. P. W. Crawford, *Spanish Drama before Lope de Vega*, Philadelphia, University of Pennsylvania Press, 1967, p. 85.
21 Gillet, *Propalladia*, IV, p. 441.
22 *Ibid.*, IV, pp. 444-449.

groserías que el autor de la *Propaladia* pone en boca de sus rústicos quizás escandalicen un poco a ciertos lectores, pero debemos recordar que León X y su corte gustaban de tales bufonadas, a vueltas de las comedias de Ariosto, Machiavelli y del cardenal Bibbiena, más alguna tragedia de Trissino.[23]

Torres Naharro termina su "Prohemio" con un par de versos de Ovidio que empiezan, "Est deus in nobis...", algo distintos de otros ovidianos que pone Cervantes en *El licenciado vidriera,* pero la idea de la inspiración divina está presente en ambos autores; Cervantes, por boca del Licenciado, afirma que esto sólo se dice de los buenos poetas. La *Propaladia,* declara Torres Naharro, contiene las primeras cosas de Pallas, y en lo venidero, con "más maduro estudio", podrá tal vez dar más. Con lo que, a pesar de algunas notas frívolas, formamos un concepto bastante elevado de la vocación que sentía el dramaturgo.

Si contamos el *Diálogo del nascimiento,* todas las piezas tempranas de Torres Naharro se escribieron entre abril de 1512 y 1517, fecha ésta de la *Propaladia.* Es verdad que Gillet quiere retrasar la data propuesta por Crawford[24] y Menéndez Pelayo[25] para el *Diálogo,* de 1512 hasta 1504, en su primera redacción, por supuestas alusiones a las batallas ganadas por el Gran Capitán en 1503, y se propone que el comediógrafo ya habría ideado la pieza en España. Sin embargo, la batalla referida en el texto bien puede ser la de Rávena, en abril de 1512, y hasta es posible aducir algunos datos más para apoyar esta fecha.[26] De todas

23 Vaughan, *op. cit.,* pp. 174-182.

24 *Spanish Drama before Lope de Vega,* pp. 37, 43.

25 *Op. cit.,* p.. 332. Cfr. Gillet, *Propalladia,* IV, p. 472.

26 No hubo ninguna derrota en 1503 como la que describe con cierta ambigüedad Betiseo, "que una sola vez que fueron vencidos / ganaron entonces doblada victoria" (vv. 208-209). La "doblada victoria" se refiere a la derrota de "contrarios con fuerzas dobladas" (v. 201), cifra bastante exacta, porque se han calculado en 15.700 españoles y aliados frente a 29.400 hombres, Baron de Terrateig, *Política del Rey Católico en Italia,* Madrid, C.S.I.C., 1963, I, p. 294. Los versos "si para España pasáis / podéis informaros de los vencedores" (vv. 211-212), difícil-

maneras, el *Diálogo* sería la primera composición dramática de Torres Naharro, a la cual habremos de sumar las ocho comedias, *Serafina, Trofea, Soldadesca, Tinelaria, Himenea, Jacinta, Calamita* y *Aquilana.*

En el *Diálogo* se advierten los elementos más tradicionales de la primitiva égloga navideña de los pastores, pero como Green observa con acierto, no tiene por qué ser la obra poco madura de un autor antes de que experimentase "la desilusión amarga de Roma". Se trata de una composición festiva para la víspera de Navidad, y como tal fue representada ante un público en su mayoría nutrido de los españoles que a la sazón se hallaban en la Ciudad Eterna. Cualquier ataque contra la corrupción eclesiástica no era lo más indicado en esta ocasión.[27] Con el introito de una *Adición* posterior, el conjunto forma un tríptico. Al principio se encuentran dos peregrinos; Betiseo viene de Santiago y Patrispano regresa de Jerusalén. Aquél elogia las victorias españolas, pero Patrispano se lamenta de que luchan entre sí los cristianos cuando debieran hacerlo contra los infieles. Lo cierto es que esta Navidad no

---

mente pueden referirse a las victorias del Gran Capitán algo al sureste de Roma. La infantería española en Rávena apenas pudo retirarse en buen orden, derrotados los aliados, manteniendo a raya a los franceses y lansquenetes, como lo dice Betiseo, "y en veces los nuestros con manos atadas, / a coces vencer a sus enemigos" (vv. 203-204). Después de la batalla hubo mucho miedo en Roma, pero pronto llegó el primo del Cardenal de Médicis, futuro protector de Torres Naharro, con la noticia de que la victoria aparente de los franceses no era tal triunfo, pues habían sufrido bajas enormes, incluso la de su jefe, el joven Gastón de Foix, muerto por la infantería española, y que había graves disensiones entre los generales. Véase William Roscoe, *The Life and Pontificate of Leo the Tenth,* London, Chatto and Windus, 1876, I, pp. 312-313. Por último, hay otro detalle curioso cuando Betiseo afirma, "que ahora era el tiempo, si hobiera una mano / que nos rescribiera las guerras de Italia" (vv. 216-217). Precisamente, ya Guicciardini, embajador entonces de Florencia en España, había escrito un *Discorso politico* en mayo de 1512 sobre las condiciones en Italia después de la batalla, según nos dice Roberto Ridolfi, *The Life of Guicciardini,* London, Routledge and Paul Kegan, 1967, tr. de Cecil Grayson, p. 45. Veo que ahora el profesor Bataillon acepta la fecha de 1512 asignada tradicionalmente a las alusiones del *Diálogo* de Torres Naharro en "Le Torres Naharro ...", p. 169.

27 *Propalladia,* IV, pp. 360-361.

hay paz en la tierra. Se comentan luego unas cuestiones teológicas, y en la *Adición* dos pastores hacen divertidas preguntas a los peregrinos. Al final, los cuatro cantan una parodia burlesca del himno *Ave Maris Stella.*

Repasando con brevedad las otras comedias, tenemos que una dama valenciana, Serafina, cuyo nombre da título a la pieza, se ha casado en secreto con Floristán, en tanto que el padre del mozo negoció su matrimonio con la italiana Orfea. La boda con Serafina era "el vero casamiento", y aunque Floristán piensa en la muerte, la suya no soluciona nada porque Serafina caería en la desesperación —eufemismo por suicidio— y la otra dama, tan tierna y contenta ante la perspectiva de una buena boda, moriría de pena. Una de las damas ha de morir para salvar la vida de los otros dos; y Orfea es la más indicada, porque morirá como buena cristiana asegurando su salvación, en tanto que el asesino ya tendrá tiempo después durante toda su vida para arrepentirse. El ermitaño Teodoro está de acuerdo, pero advierte que la víctima no debe morir sin confesión. La abnegada Orfea perdona de antemano a Floristán, y éste trata de mitigar lo duro del trance con trivialidades sobre la vida eterna bienaventurada. El último deseo de la víctima es que se levante un imponente mausoleo a su memoria. En la jornada cuarta, un tal Lenicio quiere vengarse de cierta afrenta que le ha hecho Gomecio, fámulo de Teodoro; y con una astucia digna de Centurio en *La Celestina,* mata a un perro y con la espada sangrienta entra para impresionar a Dorosía, criada de Serafina. Por fin logra burlarse de Gomecio atándole los pulgares con un encanto que le ganará el amor de Dorosía. Regresa un rico hermano de Floristán que antes estuvo enamorado de Orfea, y la obra termina felizmente concertándose el casamiento de ambos, sin que sea necesaria la muerte de ésta.

La comedia *Serafina* está lejos de ser la mera bufonada que suponía Menéndez Pelayo para explicarse la tolerancia de la censura.[28] Tampoco podemos unirnos a Gillet para compartir el entusiasmo de Martínez de la Rosa por sus excelencias técnicas.[29] En cambio, ha pasado inadvertida la tremenda ironía con que el autor plantea que cualquier casuística teológica, por disparatada que sea, tiene visos de licitud cuando se intenta ganar la salvación eterna y evitar el pecado mortal del suicidio, tema predilecto en obras coetáneas como *La cárcel de amor, La Celestina* y la *Egloga de Plácida y Victoriano,* por no citar sino las más conocidas. La vida inmortal y el monumento funerario, lugares comunes en la época, serán obligado tema de sátira para Rabelais en el *Pantagruel* (IV, cap. VIII).[30]

La *Trofea* es la única comedia que se puede fechar con seguridad; fue compuesta para la entrada triunfal en Roma del embajador portugués Tristão da Cunha, el 12 de marzo de 1514, portador de suntuosos regalos orientales para el pontífice, en conmemoración de la victoria lusitana en las Molucas. Gracias a sus gestiones, el papa confirmó en una bula los derechos de Portugal sobre aquella región, teóricamente española por el tratado de Tordesillas de 1494.

Iníciase la obra con un discurso de la Fama, que alabando al rey D. Manuel proclama que Portugal ha descubierto más tierras de las que citara Tolomeo, por lo que éste sale del infierno a protestar. Dos rústicos, Caxcoluzio y Juan Tomillo, limpian la sala de recepciones, lanzando pullas y pronunciando un sermón parodiado, con otras típicas diversiones primitivas. Un intérprete, probablemente el mismo autor, hace relación de todos los reyes súbditos que acuden a rendir homenaje y a bautizarse. Vuelven los rústicos y dos amigos más con regalos para el príncipe D. Juan; la Fama

28 *Op. cit.*, p. 359.

29 *Propalladia*, IV, p. 488.

30 "Panurge ... les prêchait éloquentement. ... leur remontrant par lieux de rhétorique les misères de ce monde, le bien et l'heur de l'autre vie, affirmant plus heureux être les trépassés que les vivants en cette vallée de misère, et à chacun d'eux promettant ériger un beau cénotaphe et sépulcre honoraire ..."

renueva su lauro de las glorias portuguesas y reparte unas hojas que contienen el pronóstico de un brillante futuro para el joven príncipe. La diosa lleva, como corresponde, unas alas que le presta a Mingo Oveja, el cual se desploma desastrosamente cuando intenta probarlas, reflejo grotesco acaso del interés que despertaron los aparatos volantes de Leonardo da Vinci y de otros.[31] La pieza tiene muy pocos valores dramáticos, sin embargo, no carece de interés por motivo de la ocasión en que fue escrita.[32]

La *Soldadesca,* en cambio, es superior a cualquier otra tentativa de "representación verdaderamente artística del soldado en la Italia del Renacimiento", según palabras de María Rosa Lida de Malkiel que prosigue así:

> Ésta fue la meta que se propuso Torres Naharro en su *Comedia Soldadesca,* independiente por igual del influjo de *La Celestina* y del influjo de Plauto y Terencio, primera tentativa quizá de poner en escena al soldado español en Italia, y sin duda la única que aspira a la representación "viva, directa, libre, realística" que Croce echaba de menos en el teatro italiano. ... pero omite —precisamente porque su galería de personajes es verdadera— el figurón convencional del soldado fanfarrón.[33]

El introito contrasta en términos rústicos la vida sencilla y apacible del villano con la afanada de Roma, su mal dormir y peor comer. Pero arropada en el bucolismo hay una pincelada de protesta social; "y coméis de los sudores / de pobres manos ajenas". El personaje supo aprovechar la ocasión para soltar un par de verdades al auditorio.

La acción propiamente dicha tiene lugar en Roma; Guzmán se lamenta de la mala suerte y pobreza que

31 Gillet, *Propalladia,* III, pp. 372-374.

32 *Ibid.,* IV, pp. 502-503. Véase el prefacio de Fidelino de Figueiredo a su edición de la *Comedia Trofea,* São Paulo, Universidade de São Paulo, 1942 (Boletins da Faculdade de Filosofia, Ciências e Letras XXVII), pp. 7-49.

33 "El fanfarrón en el teatro del Renacimiento", *Romance Philology,* XI (1958), pp. 274-275.

le acosan, cuando le halla un capitán, conocido suyo, con órdenes de reclutar quinientos peones para el ejército pontificio; le ofrece el grado de sota-capitán y a poco es ajustado un tambor para publicar la recluta. Acomódanse Manrique y Mendoza, pero se traban de palabras y el capitán ha de poner paz entre ambos. Se les junta un fraile que toma el nombre de Liaño para sentar plaza y a continuación empeña sus hábitos para beber en una taberna. Juan Gozález, Liaño y Pedro Pardo se alojan en la casa de un labrador italiano, llamado Cola, con el que no se entienden los soldados dando lugar a continuos equívocos. Harto ya de sus alojados, que le mandan preparar la comida y le requiebran a la criada, Cola busca la ayuda de un paisano y amigo. Joan Francisco, con quien se resuelve a dar una paliza a los españoles de los que hablan despectivamente. Guzmán y Mendoza murmuran y planean robarle unas pagas al capitán, desertar, comprarse dos yeguas, y llevarse a sus dos amigas con otras mujeres para prostituirlas. Cola se queja al capitán; éste pone a todos en paz y además inscribe a los dos italianos. Al final, el grupo marcha en ordenanza cantando un villancico.

Son buenos los retratos de los dos soldados bisoños, Pero Pardo y Juan Gozález; el último, con nostalgia de su tierra y de sus hijos, tiene recuerdos amargos de los tres años pasados con capitanes embusteros. Nos impresionan otros dos tipos: Mendoza, un lindo presumido de su "cabello, garbo y cintura", y Guzmán, tan orgulloso de su apellido, cuando en realidad es de origen humildísimo y ha remado en galeras, probablemente como forzado. Salvando las naturales diferencias de tiempo y de organización castrense, se reconoce a los eternos tipos de la milicia.

Ya en el bosquejo biográfico apuntamos algunas de las circunstancias que se dan en la composición de la *Tinelaria.* Agreguemos al número de los personajes la complejidad de las lenguas y dialectos que hablan (castellano, catalán, portugués, italiano, francés, latín macarrónico y un poco de alemán); con razón al autor le pareció necesario dedicar casi todo el introito a la exposición del argumento. Quiso aprovechar la ocasión para exponer ciertos abusos domésticos de los que eran víctimas no sólo el cardenal sino los mismos familiares también. Al igual que sucede con *Soldadesca,* la comedia *Tinelaria* es el primer escrito donde se presenta cierta clase de gente, los criados y oficiales de un prelado que viven en medio de vicios y robos. Para estas comedias no hay fuentes literarias, y en la *Tinelaria* por primera vez aparecen algunos rasgos del pícaro, aquí pinche de cocina, que tan importante papel ha de desempeñar en la novela hasta dar su nombre a un género.[34]

Son tantos los incidentes de que se compone la obra, que se hace imposible resumir escuetamente buena parte de lo que en ella sucede. Pensamos, sin embargo, que un breve bosquejo acaso facilite su comprensión para el lector que por primera vez se acerque a esta pieza. Comienza con la divertida riña entre el credenciero Barrabás y su barragana Lucrecia; por fin, aquél roba unas provisiones para su coima que se marcha contenta. Barrabás y el Escalco charlan mientran el primero y Mathía disponen la mesa para el día siguiente. Metreianes, el cocinero francés, está preparando unos bocados en el cuarto de Barrabás, y nos enteramos de que el grupo ha robado una cantidad de pasteles y vajilla en un banquete; se dice que van a tener nuevas libreas verdes —las que llevan deben de estar muy gastadas; Barrabás y Mathía se disputan una muchacha boloñesa que aquél ha procurado a éste.

La jornada segunda es al día siguiente a la hora del almuerzo. Los criados del tinelo, mientras esperan el vino, charlan en sus lenguas respectivas y alaban alguna grandeza de sus tierras naturales. Vienen los oficiales menores de la casa, Francisco reclama el sueldo que le debe su amo Moñiz, y todos se quejan del pan,

34 Gillet, *Propalladia,* IV, p. 513.

de la carne y del vino; pero la culpa no es del cardenal sino del "Mastro de casa", que se enriquece a fuerza de hurtos. Hablan también de beneficios, y Osorio espera recibir uno a pesar de ser tan mujeriego.

Empieza y termina la jornada siguiente con bendiciones burlescas. El Escalco, por fin, abre el tinelo y hay una riña entre Osorio y Godoy sobre el puesto que ocuparán en la mesa; el servicio es lento, la carne dura y repugnante, por lo que piensan escribir una carta quejándose al cardenal. El Escalco niega el acceso a unos palafreneros de otra casa que han venido con una embajada, y el decano le reprocha su mezquindad. Disputan los comensales sobre porciones robadas a escondidas. Vuelve uno de los palafreneros y el Escalco le dice que regresen para el segundo turno de mesa. Por último, surgen nuevas discusiones en torno a la lista de faenas y guardia, con acusaciones de favoritismo.

Al comenzar la cuarta jornada se queja el despensero, en un monólogo, de que tan sólo ha podido robar en diez años lo bastante para comprar unas fincas, cuando llega el maestro de casa para reclamar lo que le toca de los últimos robos de comestibles. Osorio ya no quiere dormir en el mesón sino en su cuarto propio. Moñiz quiere que acojan a su criado y al caballo. Se renuevan las quejas sobre la comida. Charlan Moñiz, Godoy y el "nuevo", Manchado, que acaba de llegar de España. Los tres piensan ocupar la misma habitación. Entran por fin cinco trompeteros pidiendo una propina que se les había prometido.

En la última jornada cae la tarde y vienen los oficiales a cenar. El Escalco y Mathía discuten, como los criados de *La Celestina* e *Himenea,* si deben exigir sus recompensas o esperarlas con paciencia. La comida y el vino son mejores en esta ocasión. Comienzan los brindis y se sigue la borrachera; todo acaba en una justa cómica, en el juego de apagar una vela soplando, y en un baile de borrachos que pone un final culminante a la acción.

Después del realismo rayano en naturalismo de las dos últimas piezas, la *Himenea* representa un cambio muy grande de espíritu, ambiente y caracteres. Desde las miserias de los soldados y los criados humildes subimos al nivel de los amantes cortesanos que se mueven en una atmósfera refinada y expresan las más tiernas y sutiles, aunque exaltadas, pasiones eróticas. El hecho de que Torres Naharro cultivase unas vetas de inspiración tan variadas y llenas de matices, le consagra como el dramaturgo español más destacado de su época, que nos da con *Himenea* una pieza teatral que no admite parangón con otras hasta entrado el Siglo de Oro. Es teatro moderno y renacentista, por el grado de concentración que alcanza el conflicto y por la intensidad de los sentimientos amorosos.

La comedia se inspira en *La Celestina,* autos XII, XIV y XV de la primera versión en 16 autos, con detalles de los I y XIX de la versión más larga. [35] El protagonista Himeneo se enamora repentinamente de Febea, ronda su casa con serenatas y música, y consigue al fin que ella le corresponda y admita a la noche siguiente. Acechándoles está un hermano de la dama, el Marqués —sin más apellido— que les sorprende al salir Himeneo ya de madrugada de la casa de Febea. El galán huye y el Marqués fríamente se dispone a matar a Febea, aunque no exento de hipocresía le permita que se confiese. Sin embargo, quedará sorprendido y pasmado cuando ella, al revés de Orfea, que hace en *Serafina* el papel de una paciente Griselda medieval, le desafíe proclamando y lamentando que no gozó del amado; dicho todo en términos que recuerdan a Melibea cuando

35 Aunque ya mucho antes Alberto Lista notó esta influencia (*Lecciones de literatura española explicadas en el Ateneo,* Madrid, 1836), M. Romera-Navarro parece ser el primero en precisar los elementos celestinescos, "Estudio de la *Comedia Himenea* de Torres Naharro", *Romanic Review,* XII (1921), p. 21. Gillet, *Propalladia,* IV, p. 519, aclara algo más. La tesis inédita de M. Depta, "Die *Celestina* in ihrem Verhältnis zu den novelistischen Komödien der Propalladia", Breslau, 1921, sólo se conoce por un extracto impreso de dos páginas.

afirma el derecho que asiste a una mujer emancipada de escoger libremente a su consorte.

Himeneo regresa a tiempo para impedir la muerte de Febea. Se pretexta que había huido con el fin de buscar la ayuda de sus criados Boreas y Eliso, pero en realidad el autor necesitaba sacarle de escena para que tuviera lugar el discurso de Febea; de igual modo que la madre de Melibea no puede estar presente en el acto final de *La Celestina.* Declara Himeneo que sus intenciones siempre fueron honradas y que está casado "de palabra" con Febea. Esta boda secreta molesta bastante al Marqués, pero por fin acepta los hechos y perdona a la pareja.

Del resumen así trazado se desprenden importantes novedades en la historia celestinesca: el desenlace feliz, la falta de tercera y la introducción del tema del honor, que tanto vuelo cobrará en la comedia del Siglo de Oro. Se ha considerado que el equilibrio entre amor y honor es condición indispensable para asegurar la felicidad conyugal en una armonía espiritual neoplatónica.[36] La conjunción de idealismo, optimismo y relativa benevolencia contrasta de modo manifiesto con la tragedia de *La Celestina* y a un tiempo refleja el cosmopolitismo del autor en un ambiente renacentista.

Cuando Himeneo dice con altanería que no precisa de alcahuetes para sus amores, se coloca en un nivel superior a Calisto y al rechazar la intervención de una Celestina se suprimen muchas escabrosidades inherentes a la tragicomedia de Fernando de Rojas. Por último, la introducción del hermano como guardián de la honra familiar sorprende y hasta desorienta un poco a un crítico que lo supone una figura revestida del fuero hispano-gótico-árabe;[37] pero Torres Naharro no tuvo que remontarse a tales fechas en una Italia de hombres tan sanguinarios como Francesco Maria della Rovere,

[36] H. Th. Oostendorp, *El conflicto entre el honor y el amor en la literatura española hasta el siglo XVII*, Utrecht, Universidad Estatal, 1962, pp. 170, 183-184.

[37] Gillet, *Propalladia*, IV, p. 519.

Duque de Urbino, que cuando sólo contaba 16 años, mató al amante de su hermana y andando el tiempo, en 1511, mató de una estocada al Cardenal de Pavía en las calles de Bolonia.[38]

No creo que se pueda decir con María Rosa Lida que el hermano de Febea refleje de un modo un tanto grotesco el ascetismo de Pleberio en *La Celestina,*[39] pues media una notable diferencia entre aquel padre tierno que ha perdido a su única hija y este joven violento y disoluto, noctámbulo y mujeriego. Por otra parte, Fernando de Rojas termina su obra con una larga y admirable peroración que cada vez se aprecia más, pero Torres Naharro, con su técnica dramática asombrosamente avanzada no utiliza ese procedimiento; intuye los efectos teatrales aunque pueda objetarse que el esquematismo del nuevo género conduce a supuestas deficiencias: la conquista de Febea resulta demasiado súbita; su lamento un tanto frío, y los diálogos entre los criados no ponen de manifiesto el proceso psicológico del modelo, dando lugar a inconsecuencias y a cambios bruscos de carácter.

Sobre el papel del hermano "mero instrumento sanguinario de honra",[40] cabe decir acerca del pundonor algo que no han visto los defensores de esta convención teatral, para quienes el Pedro Crespo del *Alcalde de Zalamea* sería un tipo muy humanizado y hasta noble.[41] No han advertido que los móviles de un individuo frente a la liviandad de su hermana, aunque no tan elevados como los de un padre o los de un marido, representarían unos sentimientos idealistas y fraternales pero también cierto egoísmo personal. Lo irónico

38 J. A. Symons, *The Age of the Despots — The Renaissance in Italy,* New York, Capricorn Books, 1960, p. 308.

39 María Rosa Lida de Malkiel, *La originalidad artística de* La Celestina, Buenos Aires, Editorial Universitaria, 1962, p. 481.

40 *Ibid.*, p. 484.

41 P. N. Dunn, "Honour and Christian Background in Calderón", y C. A. Jones, "*Honor* in *El alcalde de Zalamea*", en *Critical Essays on the Theatre of Calderón*, New York, New York University Press, 1965, pp. 24-60, 193-202.

es que en una sociedad donde se permiten al varón ciertas libertades que se niegan a la mujer, el hombre no se da cuenta de que su situación es equívoca. El Marqués de *Himenea* ocupa las noches en aventuras poco edificantes dejando a su hermana desamparada, conducta similar a la de Busto Tavera en *La estrella de Sevilla.*

El mayor paralelo con *La Celestina* se aprecia en los criados de Himeneo, cobardes pero graciosos. Se ha observado que en esta comedia "se opone al principio a Boreas interesado como Sempronio y enamoradizo como Sosia, a Eliso, leal como el Pármeno de los primeros actos y en guardia ante las mujeres como Tristán". Pero no hay que olvidarse de Turpedio, criado del Marqués, agresivo y joven como Tristán e ingenuo como Sosia. Puesto que no hay rameras y sólo la criada de Febea, Doresta, cuyos cortejos forman "una intriga secundaria bien tramada", tampoco existe ambiente de prostíbulo, pero se percibe un eco lejano del rencor de las prostitutas en *La Celestina* cuando Doresta dice, "Que aunque fea, / no tengo invidia a Febea".[42] Por lo demás, los paralelos verbales entre ambas obras son escasos.

Hemos considerado las comedias conforme al orden que guardan en la *Propaladia,* pero la inmediata, *Jacinta,* bien pudo ser compuesta antes que *Tinelaria* e *Himenea,*[43] si realmente se representó durante la visita de Isabella d'Este a Roma. El autor la llama "una breve comedieta", y la pieza muestra cierta falta de intención dramática.[44] Menéndez y Pelayo indica la fuente popular del tema: la gran señora del castillo que invita a unos viajeros a pasar un rato con ella y, después de agasajarlos generosamente y charlar de asuntos muy diversos, se casa con uno de ellos convidando a los otros a las bodas.[45]

[42] María Rosa Lida de Malkiel, *La originalidad ...*, pp. 632, 654, 687.
[43] Según la cronología de Gillet, *Propalladia,* IV, pp. 470-479.
[44] *Ibid.*, IV, pp. 321-324.
[45] *Op. cit.*, p. 350.

La traza argumental es muy sencilla: Divina manda al rústico y taimado Pagano que detenga y le lleve a Jacinto, Precioso y Fenicio, que son de Alemania, Roma y España, respectivamente. Cada uno diserta por turno durante una jornada sobre sus desengaños con malos amos, amigos falsos y demás experiencias mundanas. En la cuarta jornada se hace el elogio de la dama, y en la última Divina alaba la alegría y hermosura de la vida, prometiendo casarse con Jacinto, considerar a los otros dos como hermanos y repartir con ellos sus posesiones. Sin duda que las últimas jornadas estaban calculadas para satisfacer los gustos de la anfitriona —Isabella d'Este— y apelar, de paso, a su liberalidad.

En la penúltima comedia, *Calamita,* se hace historia de la pasión que Floribundo siente por Calamita y del disgusto que con ello recibe Euticio, padre del galán, por ser ella de origen humilde. El tono de la intriga amorosa es, desde luego, menos elevado que en la *Himenea,* porque se supone que Calamita es hermana de Torcazo, un simplón a quien engaña su mujer Libina. Ésta y un criado de Floribundo desempeñan oficio de tercería cerca de Calamita, pero la joven resiste virtuosamente hasta convencerse de la honradez de Floribundo y someterle a los términos de una boda "de palabra". En la anagnórisis, al final, se descubre que Calamita es en realidad la hija que perdió un caballero siciliano amigo de Euticio.

En los apartes cínicos, graciosos e interesados de los fámulos y en el "engañar con la verdad", surge el recuerdo de *La Celestina.* Del *Heauton timorumenos* de Terencio procede la situación de los amantes frente al padre; y en la jornada quinta, la escena de la fingida muerte de Torcazo proviene de la *Calandria* de Bibbiena, representada en honor de Isabella d'Este, amén de otras reminiscencias que de la misma obra pudieran espigarse en la de Torres Naharro. Por último, el tema del marido consentido pudiera tener su origen en Boccaccio. Acaso por la asociación de estos elementos considera Crawford que la *Calamita* es la pieza más clásica y de trama mejor construida del autor.[46]

Hay indicios en el introito de la comedia *Aquilana* para suponer que se representó con ocasión de una boda, tal vez lo mismo que *Himenea,* pues las alusiones a proezas sexuales serían a la sazón pertinentes. Expone la historia del príncipe Aquilano, el cual sirve, disfrazado, en casa del rey Bermudo de León, padre de la princesa Felicina de quien se enamora el joven. En el curso de una cita que ambos celebran en el jardín, ella le despide bruscamente al oír un ruido, y él se desmaya preso de una enfermedad al parecer mortal. Un médico de la corte observa que cuando Aquilano ve a Felicina, el corazón del mancebo late mucho más aprisa. El rey le manda matar y Felicina, perturbada, piensa en suicidarse; mas el monarca es informado a tiempo de la verdadera identidad de Aquilano, que resulta ser un príncipe a quien el rey había escrito proponiéndole el matrimonio con su hija, y que había querido conocer, de incógnito, a la esposa que le ofrecían.

Una de las fuentes que se sugieren para esta obra es la leyenda folklórica del príncipe disfrazado, pero Gillet describe con detalle un incidente histórico semejante, ocurrido cuando Fernando de Aragón fue de incógnito a casarse con la princesa Isabel de Castilla. Disfrazado, viajaba como criado de sus compañeros, que aparentaban ser mercaderes, e incluso los servía.[47] Todavía se halla otro paralelo en la vida de los mismos Reyes Católicos: cuando murió su hijo el príncipe don Juan en 1497, el humanista Ramírez de Villaescusa publicó una lamentación imaginaria de la joven viuda, la princesa Margarita, en la que ella llega a considerar la posibilidad del suicidio y el medio de que se valdría —si la soga, el despeñamiento, la espada o el fue-

46 *Spanish Drama...*, p. 93.
47 Gillet, *Propalladia*, IV, pp. 547-548.

go.[48] Afortunadamente, la reina Isabel logra serenar su ánimo a tiempo. En la *Aquilana* Felicina procura matarse con una soga pero no puede hacer el nudo; y cuando hace otra tentativa, el cuchillo no corta. Aquí muy bien pudiera existir otro rasgo burlesco del dramaturgo relativo al suicidio por amor.

Estas dos últimas comedias son mucho más largas que las anteriores —el doble que *Himenea*— y con sus casi 3.000 versos se aproximan a la extensión regular de las piezas del Siglo de Oro. No se publicaron en la primera edición de la *Propaladia*, y es presumible que se escribieran luego de regresar su autor a España.

Para establecer las influencias de Torres Naharro en el teatro español del siglo XVI, sería necesario precisar de antemano la relación que pueda tener con sus contemporáneos más conocidos, Juan del Encina y Gil Vicente. Este último empezó su carrera en 1502 con dos *Autos* en castellano, y ya demuestra en el segundo que domina con maestría la tradición pastoril de los salmantinos Encina y Lucas Fernández.[49] Aunque cabría esperar que después de la *Propaladia* de 1517 se le notase alguna huella de esta obra, cuando menos formal, no se ha señalado ninguna influencia de Torres Naharro; a lo sumo, pequeños motivos o frases poco reveladoras. Es muy posible que una mayor influencia hubiese deformado el teatro de Gil Vicente; y en realidad, el portugués, que sobrevivió algunos años a Torres Naharro, continuó escribiendo hasta el fin de sus días piezas que tenían una hora de duración, poco más o menos, ajustadas al patrón de un sólo acto y con notable variedad de contenido, tono y personajes.[50]

[48] Citado por F. González Olmedo, *Diego Ramírez Villaescusa (1459-1537)*, Madrid, 1944, pp. 258-259.

[49] Thomas R. Hart, prólogo a su edición de *Gil Vicente, obras dramáticas*, Madrid, Clásicos Castellanos, 1962, pp. xxi-xxii.

[50] F. de Figueiredo, *Comedia Trofea*, pp. 38-39. I. S. Révah halla un paralelo interesante entre el *Diálogo del Nascimiento* de Torres Naharro y el *Auto da Mofina Mendes*, y concluye que a partir de la *Trofea* y de la embajada portuguesa a Roma en 1514, Gil Vicente "no fue insensible ... a la influencia del teatro mucho más desarrollado de Bartolomé de Torres Naharro", en "Un tema de Torres Naharro y

Podría esperarse una relación más estrecha entre Torres Naharro y Juan del Encina, ya que éste comenzó a escribir unos quince o veinte años antes, pero Gillet indica que al trazar los vínculos que unen a Torres Naharro con otros dramaturgos, las mayores dudas surgen precisamente cuando se trata del contacto entre ellos dos.[51] Tan sólo en el *Diálogo,* la pieza que por su forma se acerca más a la égloga salmantina, propone Gillet que hay ciertas influencias de Encina, y aun éstas quizá no sean tantas. En un sentido inverso, pudo Encina obtener de Torres Naharro el concepto del introito que puso a *Plácida y Victoriano,* representada en Roma en 1513.[52] Sin embargo, Torres Naharro debió de conocer el *Cancionero* de Encina, ya que hubo seis ediciones entre 1496 y 1615, bien que no incluyeran las dos piezas más importantes de su segunda modalidad, la de mayor platonismo y bucolismo, que son las églogas de *Cristino y Febea* y de *Plácida y Victoriano.* Ningún significado estimable tiene la coincidencia del nombre de Febea con el de la heroína de *Himenea,*[53] porque a semejanza del de Orfea en *Serafina,* sólo es cuestión de epítetos neoplatónicos derivados del *Orfeo* de Poliziano —recordemos que el hermano de Floristán se llama Policiano— o bien de Febo, el sol de Ficino.

A decir verdad, sorprende la escasez de rasgos de Encina que apreciamos en Torres Naharro; sobre todo si recordamos que posiblemente el autor extremeño asis-

---

de Gil Vicente", *Nueva Revista de Filología Hispánica,* VII (1953), pp. 417-425. Según Laurence Keates en *The Court Theatre of Gil Vicente,* Lisbon, 1962, pp. III, 128, 144, hay otros paralelos posibles, pero si el portugués se inspiró en Torres Naharro la *Comédia da Rubena* sin embargo, se compone de escenas inconexas, según la cita Figueiredo mismo.

51 "Torres Naharro and the Spanish Drama of the Sixteenth Century", *Estudios eruditos in memoriam de Adolfo Bonilla y San Martín,* Madrid, Imprenta Vda. e Hijos de Jaime Ratés, 1930, II, p. 447.

52 "Torres Naharro and the Spanish Drama of the Sixteenth Century", *Hispanic Review,* V (1937), p. 193. El profesor Gillet falleció antes de sintetizar sus ideas sobre el teatro de Torres Naharro, y el profesor Green utiliza este artículo en el tomo IV póstumo.

53 Gillet, *Propalladia,* III, p. 555.

tió un tiempo a las aulas de Salamanca y que allí pudo conocer algo de la nueva dramaturgia, tal y como sucedió a otros paisanos suyos, Diego Sánchez de Badajoz, Díaz Tanco de Fregenal, Micael de Carvajal y Luis de Miranda.[54] Por añadidura consta el hecho de los cuatro viajes que Encina hizo a Roma, en donde coincidiría con Torres Naharro en 1513. Menos relaciones todavía pueden señalarse entre nuestro autor y Lucas Fernández, lo que subraya la independencia del primero y explica por qué los entusiastas de su teatro le aclaman como primer auténtico dramaturgo de España, con un arte muy superior al de las exquisiteces pastoriles y al de los rústicos simples que laboran los salmantinos.[55] Existe una tendencia algo simplista de catalogar a los discípulos de Torres Naharro y a los de Encina en dos escuelas diferentes; incluso algún crítico, sólo atento a determinadas fuentes hipotéticas, clásicas e italianas, juzga que Torres Naharro podría ser considerado como un escritor para minorías;[56] no obstante, las diferencias que hay entre los dos se borran con el tiempo y sus respectivas influencias se funden en los escritores sucesivos.

Conocemos hasta nueve ediciones de la *Propaladia*, entre 1517 y 1573, y la impresión de varias comedias sueltas, lo que demuestra que gozó de un cierto éxito editorial. Tampoco faltan en la primera mitad del siglo XVI alusiones elogiosas, como las que se hacen de la *Tinelaria* en *La lozana andaluza* (1525), la que Juan de Valdés escribe de la *Propaladia* en el *Diálogo de la lengua* (¿1535?) o la que incluye Cristóbal de Villalón en su *Ingeniosa comparación entre los antiguo y lo presente* (1539).[57] En 1533 Cristóbal de Pedraza, chantre de la catedral de México, hace descargar una remesa de libros destinados a la venta, de entre los cuales la única

54 Menéndez Pelayo, *op. cit.*, p. 273.
55 Crawford, *Spanish Drama...*, p. 96.
56 John V. Falconieri, "La situación de Torres Naharro en la historia literaria", *Hispanófila*, No. 1 (1957), pp. 32-40.
57 Gillet, "Torres Naharro and the Spanish Drama..." (1930), pp. 441-442.

obra de pasatiempo es la *Propaladia.*[58] Y en 1535 el soldado y aventurero Alonso Enríquez de Guzmán escribe desde Panamá citando como suyos trozos enteros de la "Dedicatoria" y del Capítulo I.[59]

Mediado ese mismo siglo, el sobrino de Diego Sánchez de Badajoz considera que Torres Naharro es superior a casi todos los demás dramaturgos; a juicio de Timoneda es el único que puede parangonarse con su amigo Lope de Rueda; y en 1562 Diego Ramírez Pagán elogia su memoria, cuando sus obras figuran ya como prohibidas en el *Índice* de 1559.[60] Durante los dos años precedentes una víctima de la Inquisición, el artista francés Esteban Jamete, había citado en Cuenca, bajo tormento, pasajes perniciosos.[61] Se podrían acumular citas y más citas de escritores, incluyendo a Cervantes y a Lope de Vega, pero baste recordar que la censura eclesiástica permitió una edición expurgada de la *Propaladia* que se publicó junto con el *Lazarillo de Tormes,* castigado también, impresa por Pierres Cosin, Madrid, 1573. Así como sabemos que el *Lazarillo* sirvió de inspiración para que en 1599 Mateo Alemán comenzase a cultivar un género nuevo con su *Guzmán de Alfarache.* Desgraciadamente, todavía no es posible calcular qué influencia pudieron tener las comedias de Torres Naharro en la evolución del teatro por esas mismas décadas.

Nuestro autor publicó algunas poesías sueltas, otras más luego en la *Propaladia,* y si bien como poeta no alcanza la altura de sus más distinguidos contemporáneos, hay en sus piezas, sin embargo, ciertas novedades estróficas. Emplea tres tipos de metro principalmente: una estrofa de doce versos octosílabos, peculiar com-

58 Marcel Bataillon, *Erasmo y España,* México, Fondo de Cultura Económica, 1966, pp. 809-810.

59 Gillet, "Torres Naharro and the Spanish Drama..." (1937), pp. 203-205.

60 Gillet, "Torres Naharro and the Spanish Drama ..." (1930), p. 444.

61 Gillet, "Torres Naharro and the Spanish Drama ..." (1937), pp. 205-206.

binación suya que tan sólo utiliza en la *Jacinta*; para la *Himenea* compone otras, también de doce versos octosílabos, menos el penúltimo que es de pie quebrado, disposición tal vez de origen italiano; asimismo usa las coplas de pie quebrado y las tradicionales redondillas dobles. En el *Diálogo* hallamos una forma inesperada; es una estrofa de arte mayor de diez versos dodecasílabos, a excepción del primero y sexto que son de pie quebrado, con seis sílabas. Entre sus poesías nos ha dejado tres sonetos en italiano; acaso apreciaba esta forma pero no se atrevió a imitarla en lengua castellana.

El espacio disponible tan sólo permite enunciar los elementos nuevos del teatro de Torres Naharro que van a florecer en la comedia española de Lope y de sus contemporáneos, según varios pareceres críticos. Suya es la primera comedia que presenta el tema del honor, la intensidad psicológica y los conflictos internos y externos, que alcanzarán su desarrollo en la movilidad de la comedia de capa y espada,[62] en las que tan a menudo se juega con amores secretos que después de peripecias diversas aprueba el padre o el hermano de la protagonista.[63] Es también creación suya el tipo de gracioso, que con la criada de la dama parodia los amores de sus amos.[64] Asimismo aporta nuestro autor con el introito lo que será más tarde la loa de Tirso y de la escuela lopesca;[65] fue el primero en usar temas novelescos y heroicos,[66] en advertir la necesidad de una fórmula dramática,[67] en escribir largas comedias de carácter realista, en emplear la palabra *jornada,* en usar de cartas para la trama, en trazar escenas nocturnas, y el primero en presentar a un rey como

[62] Romera-Navarro, "Estudio de la comedia ...", pp. 52, 55. Falconieri, "La situación ...", p. 39.

[63] Oostendorp, *El conflicto* ..., p. 186.

[64] Romera-Navarro, "Estudio de la comedia ...", pp. 55-56.

[65] H. A. Rennert, *The Spanish Stage in the Time of Lope de Vega*, New York, Dover Publications, 1966, p. 281. N. D. Shergold, *A History of the Spanish Stage*, Oxford, Clarendon Press, 1967, tiene observaciones muy interesantes sobre la escenografía de Torres Naharro.

[66] Falconieri, "La situación ...", p. 39.

[67] Gillet, *Propalladia*, IV, p. 563.

personaje de comedia.[68] Por último, figurando entre la vanguardia de los que comprendieron las enormes posibilidades dramáticas de *La Celestina,* y sin desecharlas, tuvo la suficiente personalidad para forjar unos argumentos en gran parte originales al escribir sus comedias.

D. W. McPheeters

68 *Ibid.*, IV, pp. 231, 519, 520.

NOTICIA BIBLIOGRÁFICA

EDICIONES DE LA *Propaladia*[1]

1. *Propaladia de Bartolomé de Torres Naharro*. Nápoles, 1517.
2. *Propaladia de Bartolomé de Torres Naharro*. Sevilla, 1520. Con la *Calamita* añadida. Sólo se conoce esta edición por la cita detallada del *Registrum* de Hernán Colón, No. 4032.
3. *Propaladia de Bartolomé de Torres Naharro*. Nápoles, 1524. Con la *Aquilana* añadida.
4. *Propaladia de Bartolomé de Torres Naharro*. Sevilla, ¿1526? Primera ed. con las dos comedias *Calamita* y *Aquilana*. Todas las ediciones siguientes las contienen.
5. *Propaladia de Bartolomé de Torres Naharro*. Sevilla, 1533-34.
6. *Propaladia de Bartolomé de Torres Naharro*. Toledo, 1535.[2]

[1] Citamos las ediciones del siglo XVI cuya existencia realmente consta, según las descripciones minuciosas de Gillet en el Tomo I de su edición. Omitimos también unas siete sueltas de comedias diversas del siglo XVI y ediciones modernas fragmentarias o de una sola obra, pocas, además, y sin gran interés. En la introducción y notas hay alusión a alguna de ellas.

[2] El profesor Gillet creía en la existencia de ésta edición, pero no se conocía ningún ejemplar antes de la reseña de Croce con algunos pormenores de una versión desconocida en la Biblioteca Nazionale de Nápoles, que está falta de bastantes hojas al final, portada y colofón, pero debe haber sido impresa antes de 1545. Evidentemente el profesor Gillet estaba convencido de que se trataba de la edición de Toledo, 1535, y anunció en la página vii de su tomo III que en breve haría un

7. *Propaladia de Bartolomé de Torres Naharro*. Sevilla, 1545.
8. *Propaladia de Bartolomé de Torres Naharro*. Amberes, s. a.
9. *Propaladia de Bartolomé de Torres Naharro*. Madrid, 1573.
10. *Propaladia de Bartolomé de Torres Naharro*. Madrid, 1880-1900. Dos tomos. El primer volumen fue publicado por Manuel Cañete, y el segundo con un prólogo de Marcelino Menéndez Pelayo.
11. *Propaladia de Bartolomé de Torres Naharro*. Madrid, 1936. Edición facsímil publicada por la Real Academia Española de la *princeps* de Nápoles, 1517.
12. *Propalladia and Other Works of Bartolomé de Torres Naharro*. Cuatro tomos. Bryn Mawr and Philadelphia, 1943-1962. El profesor Joseph E. Gillet editó los tres volúmenes primeros y el profesor Otis H. Green preparó para la imprenta el tomo cuarto con los materiales que había dejado el profesor Gillet a su muerte.

COLECCIONES DE VARIAS COMEDIAS

1. *Himenea, Jacinta, Calamita,* y *Aquilana* en *Teatro español anterior a Lope de Vega*. Pp. 99-246. Hamburgo, 1832. Edición de J. Nicolás Böhl de Faber.
2. *Soldadesca, Ymenea,* y *Aquilana* en *Tres comedias*. New York, Las Américas Publishing Co., 1965. Edición con prólogo y notas por Humberto López Morales.

---

estudio sobre ella en la *Hispanic Review*; pero este artículo no se publicó en ninguna revista, que sepamos. Véase B. Croce, "La *Propalladia* del Torres Naharro", *Quaderni della Critica*, V, no. 15 (1949), nota a la p. 79. Annamaría Gallina ha editado la *Himenea*, Milano, Istituto Editoriale Cisalpino, 1961. Dice que ha consultado la edición en la Biblioteca Nazionale de Nápoles e indica unas cuantas variantes en las notas. Omite el "Introito", tal vez por considerarlo demasiado escabroso.

BIBLIOGRAFÍA SELECTA

1. Bataillon, Marcel. "Le Torres Naharro de Joseph E. Gillet". *Romance Philology,* XXI, no. 2 (1967), pp. 143-170.
2. Berthelot, A. "La *Propaladia* du Mans". *Bulletin Hispanique,* LVI (1954), pp. 167-174.
3. Corbató, Hermenegildo. "El valenciano en la *Propalladia* de Torres Naharro". *Romance Philology,* III (1950), pp. 262-270.
4. Crawford, J. P. W. "A Note on the *Comedia Calamita* of Torres Naharro". *Modern Language Notes,* XXXVI (1921), pp. 15-17.
5. ———. *Spanish Drama before Lope de Vega.* Philadelphia, University of Pennsylvania Press, 1967.
6. Croce, B. "La *Propalladia* del Torres Naharro". *Quaderni della Critica,* V, no. 15 (1949), pp. 79-87.
7. Falconieri, John V. "La situación de Torres Naharro en la historia literaria". *Hispanófila,* I (1957), pp. 32-40.
8. Gilman, Stephen. "Retratos de conversos en la *Comedia Jacinta* de Torres Naharro". *Nueva Revista de Filología Hispánica,* XVII (1963-64), pp. 20-39.
9. Gillet, J. E. "The Date of Torres Naharro's Death". *Hispanic Review,* IV (1936), pp. 41-46.
10. ———. "The Original Versión of Torres Naharro's *Comedia Tinellaria*". *Romanic Review,* XIV (1923), pp. 265-275.
11. ———. *Propalladia and Other Works of Bartolomé de Torres Naharro.* 4 vols. Bryn Mawr and Philadelphia, University of Pennsylvania Press, 1943-1962.

12. Gillet, J. E. "Spanish 'fantasía' for 'presunción'", en *Studia Philologica et Literaria in Honorem L. Spitzer.* Berne, Francke Verlag, 1958, pp. 211-225.

13. ———. "Torres Naharro and the Spanish Drama of the Sixteenth Century". *Estudios eruditos in memoriam de Adolfo Bonilla y San Martín (1875-1926),* con un prólogo de Jacinto Benavente. Madrid, J. Ratés, 1927-1930, Vol. II, pp. 437-468.

14. ———. "Torres Naharro and the Spanish Drama of the Sixteenth Century, II". *Hispanic Review,* V (1937), pp. 193-207.

15. Green, Otis H. *Spain and the Western Tradition.* 4 vols. Madison, The University of Wisconsin Press, 1963-1966.

16. Legarda, A. de. "Primera frase vasca impresa conocida en Torres Naharro, 1513". *Boletín de la Real Sociedad Vascongada de Amigos del País,* VII (1934), pp. 161-174.

17. Lenz, A. "Torres Naharro et Plaute". *Revue Hispanique,* LVII (1923), pp. 99-107.

18. Ley, C. D. *El gracioso en el teatro de la península (Siglos XVI-XVII).* Madrid, Revista de Occidente, 1954.

19. Lida de Malkiel, María Rosa. *La originalidad artística de* La Celestina. Buenos Aires, Editorial Universitaria, 1962.

20. Lihani, John. "New Biographical Ideas on Bartolomé de Torres Naharro". *Hispania,* LIV (1971), pp. 828-835.

21. Mazzei, Pilade. *Contributo allo estudio delle fonti italiane del teatro di Juan del Enzina e Torres Naharro.* Lucca, 1922.

22. McCready, Warren T. *Bibliografía temática de estudios sobre el teatro español antiguo.* Toronto, University of Toronto Press, 1966.

23. Menéndez Pelayo, M. "Bartolomé de Torres Naharro y su *Propaladia*", en *Estudios y discursos de crítica histórica y literaria,* ed. Nacional. Santander, Aldus, 1941, Tomo VII.

24. Meredith, Joseph A. *Introito and Loa in the Spanish Drama of the Sixteenth Century.* Philadelphia, University of Pennsylvania Publications in Romance Languages and Literature, 1928.

25. Pickering, T. "A Note on the *Comedia Serafina* and *El Conde Alarcos*". *Modern Language Notes,* LXXI (1956), pp. 109-114.

26. Révah, I. S. "Un tema de Torres Naharro y de Gil Vicente". *Nueva Revista de Filología Hispánica,* VII (1953), pp. 417-425.

27. Rodríguez-Moñino, Antonio. "El teatro de Torres Naharro (1517-1936), Indicaciones bibliográficas". *Revista de Filología Española,* XXIV (1937), pp. 37-82.

28. Romera-Navarro, M. "Estudio de la *Comedia Himenea* de Torres Naharro". *Romanic Review,* XII (1921), pp. 50-72.

29. Segura Covarsi, E. "Aportaciones al estudio del lenguaje de Torres Naharro". *Revista del Centro de Estudios Extremeños,* VIII (1934), pp. 211-241.

NOTA PREVIA

COMO base de nuestra edición empleamos la esmerada de Gillet (*Propalladia and Other Works of Bartolomé de Torres Naharro*. Bryn Mawr and Philadelphia, 1943-1962), atendiendo a correcciones sugeridas por él mismo en el Tomo III. No se reproducen las variantes señaladas por el profesor Gillet para dejar más espacio a las notas y traducciones aproximadas de las varias lenguas habladas en la *Soldadesca* y *Tinelaria*. En la transcripción de textos se han suprimido las letras itálicas de las abreviaturas y símbolos resueltos, pero se ha dejado el apóstrofe para indicar la elisión de letras, a excepción de *del* y semejantes. Se emplean la puntuación, las mayúsculas, la acentuación, y la ortografía modernas, aunque se conservan asimilaciones como *comigo* y *habella,* lo mismo que las metátesis como *pensaldo* y *llamaldos*. La *c* se escribe o se omite en palabras como *tractar* o *conduta* cuando puede reflejar una pronunciación vacilante o arcaica de la época. Formas como *hobiese* o *escrebir* y locuciones dialectales también se conservan y algunas de éstas se incluyen en el glosario. La diéresis se emplea cuando es necesario para conseguir el recuento exacto de las sílabas en ciertos versos.

En el glosario se citan algunas voces menos raras para facilitar su comprensión a quienes no estén familiarizados con el léxico del siglo XVI y por el mismo motivo se citan formas cuya ortografía podría causar alguna confusión inicial.

Quisiéramos expresar nuestro agradecimiento al Smith College, heredero por deseo expreso de su viuda de los derechos de la obra del profesor Gillet, por habernos permitido utilizar los tres textos que ahora citamos.

También reiteramos nuestras gracias más sentidas a los colegas, el profesor Otto H. Olivera por haber propuesto algunas correcciones de lenguaje en el prólogo, los profesores Bruno Damiani y Gilberto Paolini por sus sugestiones sobre la lengua italiana de *Soldadesca* y *Tinelaria,* y el profesor R. A. Casás por sus observaciones sobre el catalán de esta última. Cualquier error subsistente corre por cuenta del autor de esta edición.

D. W. M.

ROPALLADIA

De Bartholome de Torres Naharro: Dirigida al Illuſtriſſimo Señor: el. S. Don Fernando Daualos de Aquino Marques de Peſcara. Conde de Lorito: gran Camarlengo del Reyno de Napoles ꝛc.

Con gratia y Preuilegio: Papal. y Real.

Dirigatur Dño.
Oratio mea.

Contienenſe enla Propàlladia.

Tres lamentationes de Amor
Una Satyra
Onze Capitulos
Siete Epiſtolas.

Comedia. Seraphina
Comedia. Trophea
Comedia. Soldadeſca
Comedia. Tinellaria
Comedia. ymenea
Comedia. Jacinta
Dialogo. del Naſcimiẽto.

Una. Contemplation
Una. Exclamation
Al hierro dela lança
A la. Ueronica
Retracto.
Romances. Canciones.
Sonetos.

Portada facsímile de la primera edición de la *Propaladia,* Nápoles, 1517, del ejemplar en la Biblioteca Nacional, Madrid

COMEDIA SOLDADESCA

PERSONAS

GUZMÁN MENDOZA MANRIQUE CAPITÁN	*soldados pláticos*
ATAMBOR	
FRAILE, *más tarde llamado Liaño*	
JUAN GOZÁLEZ * PERO PARDO	*soldados bisoños*
JOANFRANCISCO COLA	*rústicos*

Calle de un lugar en las inmediaciones de Roma

* Gozález como apellido existe todavía en Extremadura.

INTROITO Y ARGUMENTO

Dios mantenga y remantenga,
mía fe, a cuantos aquí estáis,
y tanto pracer os venga
como cro que deseáis.
¿Qué hacéis? 5
Apostá que más de seis
estáis el ojo tan luengo,
y entiendo que no sabréis
adevinar a qué vengo.
Y a mi ver, 10
cada cual es bachiller,
y presumen anfenito;
después no saben comer
ni desollar un cabrito
los letrados 15
que enfingen de necenciados.
Y apostalles he el cayado
que más de cuatro estirados
no me hurten un ducado.
Veis aquí, 20
¿queréis saber si es ansí?
Yo le apuesto al más agudo
que no sepa, juri a mí,
desatarme aqueste ñudo.
Ora ver 25
quién me sabrá responder
d' estos que chupan el mosto: [1]

1 Este verso indica que tal vez se representa la *Soldadesca* durante un banquete, o bien después.

¿En qué mes suele caer
Sancta María de agosto?
¡Juri a san 30
no sepan cuándo es San Juan
si no jo dijese el crego!
Mirá vos cómo sabrán
a qué viene Trasterriego.
¿Qué decís? 35
Todo cuanto presumís
es un aire loco y vano.
Veis, aquí todos venís
ascuchar este villano.
Bobarrones 40
que cegáis con presunciones,
y vivís todos a 'scuras;
que Dios reparte sus dones
por todos las creaturas.
Y ansí siento 45
que reparte con tal tiento
las mercedes Su grandeza,
que dió a mí en contentamiento
más que a otros en riqueza.
Pues, pobretos, 50
¿qué queréis vivir sujetos
al mundo y a su cebico?
Que en mi tierra los discretos
al contento llaman rico.
Por probar, 55
ora os quiero preguntar:
¿Quién duerme más satisfecho,
yo de noche en un pajar,
o el Papa en su rico lecho?
Yo diría 60
qu' él no duerme todavía,
con mil cuidados y enojos;
yo recuerdo a medio día,
y aun no puedo abrir los ojos.
Mas verán 65

que dais al Papa un faisán
y no come d' él dos granos;
yo tras los ajos y el pan
me quiero engollir las manos.
Todo cabe; 70
mas aunque el Papa me alabe
sus vinos de gran natío,
menos cuesta y mejor sabe
el agua del dulce río.
Yo, villano, 75
vivo más tiempo, y más sano
y alegre todos mis días,
y vivo como cristiano,
por aquestas manos mías.
Vos, señores, 80
vivís en muchos dolores
y sois ricos de más penas,
y coméis de los sudores
de pobres manos ajenas.
Y anfenitos 85
que (te) tenéis los apetitos,
tan buenos como palabras,[2]
no comeriedes cabritos
si yo no crïase cabras.
Y estos daños 90
y todos vuestros engaños
ora los quige contar,
que quizá d' estos diez años
no terné tanto lugar.
Concrusión: 95
pues os demando perdón
me lo debéis conceder,
y pues hu mi intincïón
venir a daros pracer.

2 Quizás los vv. 85-87 signifiquen que son tan comedores como habladores. A lo que dice Gillet (III, p. 389, n. 85) tal vez se puede agregar que son buenos para hablar y comer pero flojos en las obras. Las alusiones que siguen, relativas a los trabajos de los pastores, parecen indicar esto.

Y será 100
que una comedia verná
la Soldadesca llamada; [3]
sabed que no faltará
de graciosa o desgraciada.
Si atendéis, 105
mil cositas llevaréis,
no sé si bien ordenadas;
y porque mejor notéis,
se parte en cinco jornadas.
Lo primero 110
verná un gentil compañero
que Guzmán tiene por nombre,
como pobre y sin dinero
quejándose el gentil hombre.
Tras Guzmán 115
entra luego un capitán
a hacer no sé qué gente;
trae consigo a Tristán,
un su paje solamente.
Sin remor 120
a Guzmán el pecador
alegran con su embajada,
y entra luego un atambor;
y ésta es primera jornada.
Y éste queda 125
porque lo mejor que pueda
haga el bando acostumbrado,
y a do se da la moneda
que vaya quien es soldado.
Tras aquél 130
entra luego, muy cruel,
Mendoza, gentil, gallardo;
dos bisoños después d' él:
Juan Gozález, Pero Pardo.
Y esto ansí, 135
viene luego por allí

3 Una traducción correcta del título sería *La comedia militar*.

un fraile de los de hogaño;
renuncia el hábito ahí,
llámase después Lïaño.
Y éstos van 140
sobre el negro balandrán
a beber con barahunda;
partiéndose, fin darán
a la jornada segunda.
Pues será 145
qu' el Capitán tornará
con otros tres todos juntos,
y allí Mendoza verná
con Manrique en malos puntos.
Y al callar 150
luego tienen de tornar
de beber los cuatro hermanos;
mandan los tres alojar
en casa d' unos villanos.
De manera 155
que los tres riñen de fuera
con Cola y en gran arrisco,
y a la jornada tercera
porná fin un Juanfrancisco.
Tornarán 160
los dos, Mendoza y Guzmán,
hablando de acá y de allá.
Como éstos acabarán,
Juan Gozález le saldrá,
tan discreto 165
que cree todo en efecto
cuanto allí Guzmán le alaba,
y enjabonando su peto
la cuarta jornada acaba.
No tardó 170
que Pero Pardo salió
con Lïaño que allí era,
y a Juan Gozález llamó
que enjabona su pancera.
Pártense ellos, 175

y salen luego tras ellos
Cola y otros por un llano;
llegan casi a los cabellos
Juan Gozález y un villano.
Do estarán 180
llega luego el Capitán;
son todos apaciguados,
y a los villanos harán
que también sean soldados.
Y ésta es 185
quinta jornada; y después
se saldrán, como es usanza,
cantando de tres en tres
al paso de la ordenanza.

JORNADA PRIMERA

GUZ. ¡Reniego del rey Ramiro!
Porqu' es ora el tiempo tal
que quizá hiciera un tiro
de que no me fuera mal.
¡Pese al cielo! 5
Qu' el hombre mudara el pelo
según el modo que había,
sino que este barrichelo
no pára noche ni día.
¡Qué placer! 10
Para buscar de comer
quien no tiene otra codicia,
cierto no era menester
en Roma tanta justicia.
Ruin novela, 15
ni quien del hombre se duela
ni quien mire a la persona,
sino hoy en Torre Sabela,
mañana en Torre de Nona:
qu' es morir. 20
No sabéis adónde os ir,
todo el mundo está perdido;
no halláis a quien servir,
ni siquiera un mal partido.
¡Gran dolor, 25
un hombre tan servidor
que no halle un pan que coma!
¿No vernía un atambor
por estas calles de Roma:

tan, tan, tan, 30
ea, ta, la, la, la, lan?
¡Voto a Dios y a su pujanza
que no siento tanto afán
como pienso en la ordenanza!
Mas, cuidado, 35
todo el mundo está callado,
sobra la paz por la tierra
sino a mí, pobre soldado,
que la paz me hace guerra.
Pues, digamos, 40
los soldados no medramos
sino la guerra en la mano;
con razón la deseamos
como pobres el verano.
Bien que ya 45
las guerras de por acá
no son más del tiempo loco,
ni creo que me valdrá
hacerme prete tampoco.
Porque ha días 50
qu'estas nuestras clerecías
van con Dios a mal partido:
beneficios, calongías,
todos han desparecido.
Mal por mal, 55
en la guerra, pese a tal,
valen al hombre las manos
y nunca falta un rëal,
y es servido de villanos.
Bien decimos 60
los que moriendo vivimos:
¿por qué no vino la landre
por mí y por cuantos perdimos
aquel tiempo de Alexandre? [4]
Desdichados, 65
que por los nuestros pecados

4 Rodrigo Borja, el Papa Alejandro VI, 1492-1503.

se llevó Dios su camino
al padre de los soldados,
el buen Duque Valentino.[5]
¡Qué holgaba, 70
cuando yo le acompañaba
las noches más sin abrigo:
tanto de mí se preciaba,
que solo se iba comigo!
¡O, qué humano! 75
¡Qué señor, qué cortesano,
qué liberal y cortés!
Me ponía en esta mano
veinte ducados al mes.
Mas agora, 80
gracias a Nuestra Señora,
por contento me toviera
si fuese cierto en buen hora
de no probar la galera.
Pero andar, 85
pues que ya sé bien remar
y hacer sogas y lazos,
no puedo sino ganar
unos pocos de anguilazos.
Todo ello 90
no lo tengo en un cabello,
ni me do tres caracoles
mientra vive el doctor Tello[6]
que saca los españoles.

CAP. ¿En qué afán 95
se ha puesto el señor Guzmán?
Debe andar muerto de sed.
GUZ. ¡O mi señor Capitán!

5 César Borja, hijo ilegítimo de Alejandro VI. Ambicioso y odiado de muchos, era venerado de sus soldados por su generosidad; fue un militar enérgico. Murió en España en 1507.
6 D. Tello de Buendía, Obispo de Córdoba, muerto en 1484. Famoso por sus obras de misericordia y rescate de cautivos en tierra de moros.

	Bien venga vuestra merced.	
CAP.	¿Qué hacéis?	100
GUZ.	Ya, señor, oís y veis:	
	estó esperando que llueva.	
CAP.	Pues ora ¿qué me daréis	
	si yo os do una buena nueva?	
GUZ.	Mas ¡cuán claros	105
	tenéis modos de burlaros	
	en estas y otras consejas!	
	¿Qué me veis que pueda daros	
	si no os diese las orejas?	
CAP.	Por mi fe,	110
	pocas vezes me burlé	
	de quien acostumbró honrarme;	
	mas agora os mostraré	
	como no venga a burlarme.	
	Veis aquí,	115
	pues entre nos es ansí	
	que la verdad se executa,	
	el Papa mandó por mí	
	y hame dado esta conduta;	
	y al presente	120
	me ha mandado expresamente,	
	porque no pudo ser antes,	
	que haga de buena gente	
	hasta quinientos infantes.	
	Si se habrán,	125
	seréis, hermano Guzmán,	
	sin que más os lo suplique,	
	vos mi sotacapitán,	
	y alférez será Manrique.	
	Todavía	130
	yo os haré la cortesía	
	que se debe a un gentil hombre,	
	porque d' esta compañía	
	yo no quiero más del nombre.	
	Los dineros,	135
	partildos los compañeros	
	y habed con ellos placer,	

que pues que sois caballeros,
ya me daréis de comer.

GUZ. Bien está. 140
Mas también razón será
que, señor, os acordéis
que he tenido por acá
los cargos que vos sabéis.
Y aun de grado 145
cualquier plático soldado
vos dirá quién es Guzmán,
y cómo ha sido tractado
del señor Gran Capitán.[7]

CAP. Pues, hermano, 150
ya sé que por vuestra mano
crece la fama española.

GUZ. ¿Vístesme en el Garellano?

CAP. Y aun os vi en la Chirinola.

GUZ. Yo he placer 155
que me queréis conocer
sin habéroslo servido.
Pues, más habéis de saber:
que he diez veces combatido,
y en Bugía 160
yo tuve una compañía,
la mejor de mi cuartel,
y en Trípol de Berbería[8]
pudiera ser coronel.
Mas, señor, 165
yo quiero, por vuestro amor,
serviros de voluntad.

CAP. Pues buscadme un atambor
que vaya por la ciudad
de manera 170

7 Gonzalo de Córdoba, cuya infantería disciplinada era un arma nueva. Sus victorias en el río Garellano y en Ceriñola, 1503, diezmaron a los franceses, asombraron a toda Europa y sirvieron para afirmar la hegemonía de España en Italia.

8 Trípolis como Bugía, citada más arriba, son dos ciudades tomadas por los españoles en la expedición costeada por el Cardenal Cisneros al norte de África en 1510.

que diga cómo cualquiera
que querrá tomar dineros
se recoja a mi bandera
con los otros compañeros.
Y mirá, 175
pasá también por allá
y embïadme acá a Mendoza.
GUZ. No sé, señor dónde está.
CAP. Allá estará, con su moza.

Di, Tristán, 180
¿tú conoces a Guzmán[9]
que hace del caballero?
TRIS. Su padre fué un azacán,
y él ha sido un melcochero.
CAP. ¡Bien parece! 185
Dirá después que merece
treinta ducados o más.
TRIS. Ciertamente no carece
de presunción su compás.
CAP. Deja andar. 190
Ayúdenos a juntar
una vez la compañía,
que después en el pagar
perderá la fantasía.
Que, a mi ver, 195
yo sé muy bien conocer
los soldados virtuosos,
y sé lo que han menester
estos Guzmanes bravosos,
muy peinados, 200
presumiendo de esforzados
y sirviendo por antojos;

[9] Apellido distinguido que acaso el bribón ha tomado para sí, como después hiciera Guzmán de Alfarache. Dos líneas abajo vemos que su padre ha sido *azacán*, es decir, obrero humilde o aguador, oficio típico de moriscos. Guzmán ha sido *melcochero*, vendedor o fabricante de este dulce, melcocha, elaborado con miel.

pues con cada tres ducados
les quiero quebrar los ojos.
Mi pensar 205
ha de ser en procurar
de mejorar esta capa;
que suelen poco durar
aquestas guerras del Papa.
Ven acá, 210
di, ¿sabrías tú quizá
por alguna vía diestra
buscar hombres por allá
que pasasen en la muestra?

TRIS. Sí, señor; 215
en cas del Embajador
y d' otros, sé más de ciento.
Y en cas de Oristán mejor,
y Sancta Cruz y Sorrento.[10]
Luego quiero 220
hablar con un compañero
qu' es plático y andaluz,
qu' está con un camarero
del Cardenal Sancta Cruz.
Ya diremos 225
que a quien pasa les daremos
cada cinco o seis carlines;
pero después bien sabremos
embïallos para ruines.

CAP. Pues, verás; 230
ve lo mejor que podrás
con discreción y saber,
y todo lo que harás
dilo siempre al Canciller.

10 El embajador español en la Santa Sede, D. Hierónimo de Vich, 1506-1516. El Arzobispo de *Oristán*, Jaime Serra, después Cardenal *Arborensis*, 1500-1517; Torres Naharro pudo ver en su casa la *Representación de amor* de Juan del Encina o su *Égloga de Plácida y Victoriano* en 1513. *Santa Cruz*, protector de Torres Naharro, el Cardenal Bernardino de Carvajal, 1493-1522. Cardenal de *Sorrento*, Francisco Remolino, 1503-1518.

GUZ. Pues, señor, 235
ved si tenéis servidor
hombre de más diligencia;
catad aquí un atambor
que toca por excelencia.
CAP. Bien me place; 240
si es cosa que satisface,
venga con buena esperanza.
GUZ. ¿Queréis saber lo que hace?
Toca un poco la ordenanza.
CAP. Está bien. 245
Pero sepamos también
cuánto quiere cada mes.
ATAM. Diez ducados que me den
me contentan más que tres.
CAP. No lo creo. 250
ATAM. Sí, señor, siempre deseo
hacer placer a los buenos.
CAP. Y aun por eso, a lo que veo,
ya tomaréis algo menos.
ATAM. Sean seis, 255
o lo que, señor, mandéis;
no quiero buscar extremos.
CAP. Servid vos como debéis,
que no nos desavernemos.
ATAM. Soy contento. 260
CAP. Pues servid sin pensamiento,
y aquí más no se replique.
Vámonos al aposento,
comeremos con Manrique.
Tú de aquí 265
echa un bando por ahí,
mete la gente en bollicio.
ATAM. Confïad tanto de mí
que haré bien el oficio.

JORNADA SEGUNDA

ATAM.	¡Sus, señores compañeros,	
	soldados de Papa Juan! [11]	
	¿Quién querrá tomar dineros?	
	A Pozo Blanco se dan:	
	tres ducados	5
	a los pláticos soldados	
	y diestros en renegar,	
	y a los bisoños honrados	
	dos y medio y el tragar.	
MEN.	Di, Atambor,	10
	¿y no harán más honor	
	a los buenos que a los ruines?	
ATAM.	Ya os darán a vos, señor,	
	catorce o quince carlines.	
MEN.	¡O ladrón!	15
	Y aquesta disposición,	
	cabello, garbo y cintura,	
	¿parécete que es razón	
	pasar por esa mesura?	
ATAM.	No sé nada.	20
	Daros han paga doblada	
	si jugáis bien de piquer.	
MEN.	Daros he una bofetada	
	porque os burléis a placer.	
ATAM.	No osaréis,	25
	que primero miraréis	

11 Papa Juan: puede referirse al anti-papa Juan XXIII (1410-1415). Había sido corsario y organizó un ejército de mercenarios que combatió valientemente.

a vuestro nombre y cabello;
cuanto más, como sabéis,
que burlando os dije aquello.
MEN. Ven acá, 30
¿conócesme tú quizá?
¿Por qué te burlas ansí?
ATAM. Ya os conozco días ha,
que por eso me atreví.
Y aun Guzmán, 35
de parte del Capitán,
os llamó yendo comigo.
MEN. Y ellos dos ¿adónde están?
ATAM. Comiendo en cas d' un amigo.
MEN. Pues, verás, 40
si por aquí tardarás
y vienen dos compañeros,
piensa cómo les dirás;
que son bisoños groseros.
ATAM. ¿D' ésos son? 45
¿Y por qué causa o razón
los llamáis bisoños todos?
MEN. Porque tienen presunción,
y son bestias en sus modos.
No es de oír; 50
porque si quieren pedir
de comer a una persona,
no sabrán sino decir
"Daca el bisoño, madona." [12]
Son crïados 55
en corte de los arados,
donde se cría la grana,
después no son enseñados
en la lengua italïana.
Pues, conviene 60
que si alguno d' éstos viene,

[12] La palabra *bisoño* se halla escrita por primera vez en las obras de Torres Naharro. Como indica este verso, se refiere al soldado español recién llegado a Italia y a su frecuente uso de la palabra italiana *bisogno*: necesito.

vos les habléis a su guisa,
y sacalle eis cuanto tiene
debajo de la camisa.
ATAM. No curéis; 65
id con Dios donde querréis.
MEN. Al Capitán ver querría.
ATAM. Por ahí no faltaréis
de encontralle por la vía.

JUAN. Digo, hermano, 70
¿sabéis habrar castellano?
ATAM. Muy bien, a vuestro placer.
JUAN. Ora questo italïano
nunca la pude entender.
Mas empero, 75
los que dan este dinero,
siendo el hombre d'interés,
a mí y a mi compañero
¿qué paga darán al mes?
ATAM. Daros han, 80
según dijo el Capitán,
veinte y seis carlines llanos
de la costa; vino y pan
nunca falta entre villanos.
JUAN. D' esta vez 85
mal año y negra vejez
merece el puto jodido
que se tenía en Jerez
un rëal y mantenido.
PERO. Yo he pracer, 90
pues no quegistes creer
lo que siempre yo os decía.
JUAN. ¿No vistes que mi mujer
m' echó de casa aquel día?
PERO. Bien lo sé. 95
Mas ¿queréis saber por qué?

Por hacer sus hechos malos.
Juan Gozález, a la fe,
yo os la cargara de palos.

JUAN. Peor fuera, 100
porque nunca más la viera,
y allí me hundiera a gritos;
después quizá no tuviera
quien criara mis hijitos.
Y por ellos, 105
como quien por los cabellos,
soy salido de mi tierra,
y a buscar de mantenellos
en esta maldita guerra.
Y ha tres años 110
que me traen con engaños
capitanes y dïabros,
a mi costa y a mis daños,
dormiendo por los estabros;
y a la fin 115
tractaros han como a ruin
con palabras y sin obras,
y cuando os dan un calrrín
habéis gastado dos dobras.

PERO. Concruyamos, 120
que cuando mucho habramos
tienen al hombre por necio:
si quieren que los sirvamos,
hágase primero el precio.

ATAM. Sin reñir 125
podéis comigo venir.
Del precio no hay que dudar;
yo os haré luego escribir
de letra muy singular.

PERO. Compañero, 130
poner la vida al tabrero
bobería es de soldados;
mas yo digo que más quiero
la vida que tres ducados.

JUAN. Viva o muera 135

¶ Comedia Soldadeſcha compueſta por Bartholome de torres Naharro.

Portada de la *Comedia Soldadesca*, s. l. a.

(Cortesía de la Hispanic Society of America, Nueva York)

toque yo mi paga entera.
ATAM. Que os la darán sin dudanza.
JUAN. Y al que trajere pancera
¿dan de balde espada y lanza?
ATAM. Y escopeta. 140
JUAN. No hayáis miedo que se meta
Juan Gozález en tal cosa.
Da 'l dïabro la bulrreta,
qu'es arma muy peligrosa.
No me agrada; 145
que en la guerra de Granada,
bien se acuerda Pero Pardo
que allí no estimaban nada
sino buena lanza y dardo.

FRA. Sanidad 150
os dé Dios por su bondad,
y al alma después reposo.
¿Queréis hacer caridad
a este pobre religioso?
JUAN. ¡Qué habrar! 155
No os podéis probe llamar
donde a mí, padre, me veis.
Id con Dios a trabajar,
que buenos cuartos tenéis.
FRA. A mi ver, 160
mal hacéis en me correr;
que si bien queréis sentir,
harto trabaja el comer
quien lo tiene de pedir.
JUAN. ¡Ay dolor! 165
Escuchay, padre señor,
¿quién vos dice aquí el contrario?
Mas estaros ié mejor
la pica qu'el famulario.
FRA. Ciertamente. 170
Ya Dios, el mundo y la gente
desprecian nuestros afanes,

y era poco inconveniente
renunciar los balandranes.
ATAM. ¿Son hurtados? 175
FRA. No, sino muy bien ganados,
y no con poco dolor.
ATAM. Juguémoslos a tres dados,
aquí sobr'este atambor.
FRA. Bien haría; 180
pero a vos no se daría
la culpa de tal pecado.
ATAM. Dejadvos de hiproquesía;
buscad, señor, un ducado.
¿Cómo, qué? 185
No vais vos contra la fe;
del resto, bien que pequéis,
luego yo os absolveré
cuantas veces vos querréis.
Y os aviso 190
que Dios no quiere ni quiso
que biváis vos de donaires.
¿O pensáis qu'el paraíso
fué hecho para los flayres?
Yo os prometo 195
qu' el soldado más pobreto
de cuantos podéis hallar
es hoy a Dios más acepto
qu' el flayre más regular.
Ya sabéis 200
que, dondequiera que estéis,
entre vuestras religiones
nunca vimos ni veréis
sino envidias y cuestiones.
¿Queréis ver 205
cómo dais a conocer
que rezáis de mala gana?
Tomáis el hábito ayer
y renunciáislo mañana;
lo que vos, 210
por servicio de los dos,

os suplico que hagáis.
FRA. Que me place, voto a Dios,
de hacer lo que mandáis.
PERO. Eso sí. 215
¿Para qué es andar aquí
con haldas de panadera?
Será mejor, juri a mí,
que apañéis una bandera
si os la dan. 220
ATAM. Digo que le rogarán,
y al tiempo hago testigo.
Dejad, verná el Capitán
y verás yo qué le digo.
FRA. Pues, señor, 225
y vosotros, por mi amor,
pues es hecho ya este daño,
si queréis hacerme honor,
llamadme d' hoy más Lïaño.
ATAM. Bien será. 230
LIAÑO. Pues, hermano, dad acá.
Mientra el Capitán no viene,
hagamos, si os placerá,
lo que a la tripa conviene.
ATAM. ¿Qué haremos? 235
LIAÑO. Que mis hábitos tomemos
según usanza moderna,
y allí los remataremos
en una sancta taberna.
ATAM. ¡Bien habláis! 240
¡Voto a Dios que me agradáis!
LIAÑO. Y cosas son que acaecen.
JUAN. Juri a Dios que vos les dais
la paga que ellos merecen.

JORNADA TERCERA

CAP. Pues, hermanos y señores,
ya sabéis sin que os lo diga
que se ganan los honores
con grandísima fatiga.
De manera 5
qu'es obligado cualquiera,
y con todo su poder,
a seguir tras su bandera
hasta morir o vencer.
Mayormente 10
nosotros, entre otra gente,
con razón más señalada,
por no perder al presente
la fama de antes ganada.
Pues, hagamos 15
de modo que no perdamos
lo que los nuestros ganaron,
sino que antes lo crezcamos,
sudando como sudaron.
Que, del resto, 20
ya yo quiero y he propuesto
que a los buenos y a los nobles
se les den, como es honesto,
sus mozos, y pagas dobles.
Después van 25
el mi Sotacapitán,
Alférez y Canciller,
los Cabos y el Capellán,
un Sargento y Furrïer.

Y aun siquiera 30
diez Compaños de bandera,
Pífaro y dos Atambores;
y aun la enseña toda entera
pagaré de mis sudores.
Y aun no sé 35
de qué modo cumpliré
con otras personas ciertas,
porque creo en buena fe
de no haber las pagas muertas.
Y aun la mía 40
ya sabéis que todavía
la dilatan al presente,
porque ayunen algun día
mis caballos y mi gente.
Mas ¡andar! 45
Yo tengo de contentar
las personas singulares,
aunque lo sepa robar
de encima de los altares.

GUZ. No os curéis, 50
que haremos, cinco o seis,
el rüido de las nueces.[13]

MEN. Yo me obligo, si queréis,
de pasar catorce veces.

MAN. No es posible 55
si no os hacéis invisible,
qu' es gran persona la vuestra.

MEN. ¡Voto a Dios que sois terrible!
Vos no habéis paso en müestra.

MAN. Más que vos. 60

MEN. No es verdad.

MAN. Pues ¡voto a Dios!...

CAP. Estad quedos en mal hora.

GUZ. Séase para los dos.

[13] Proverbio "Más es el ruido que las nueces". Esos mismos pocos soldados van a pasar varias veces ante la mesa donde recibirán la paga, disfrazándose si es posible, para que el capitán cobre por una compañía mucho más numerosa.

CAP. ¡O, valme Nuestra Señora!
¿Por nonada 65
metéis la mano a la espada?
Nunca tal hecho se es visto.
MEN. No le será perdonada,
¡por vida de Jhesuchristo!
MAN. ¿Qué decís? 70
CAP. ¿Dónde, dïablo, venís?
¿No tenéis más discreción?
MAN. Veis que me dijo mentís
aquel puerco remendón.
MEN. Ya don duelo 75
presume, porque su abuelo
desvirgó un día una moza.
MAN. Mas ¿de cuándo, pese al cielo,
vos llaman a vos Mendoza?
CAP. Bien está. 80
Tenelde a él vos allá;
ved si quiere ser su amigo.
[MEN.]. Mas veamos si querrá
salirse a matar comigo.
MAN. Sí, rapaz. 85
MEN. ¡Andad para cobardaz!
MAN. ¡Para éstas! [14]
MEN. ¡Cagá en ellas!
CAP. Ora se haga la paz,
fenezcan estas querellas.
MEN. No curéis. 90
CAP. Voto a Dios que la haréis
y que tengo de forzaros.
MEN. Suplicoos que me escuchéis.
CAP. No quiero más escucharos.
¡Qué hablar! 95
MEN. Señor, que quiero callar,
pues no queréis que os suplique.
CAP. No os partáis d' ese lugar

14 Posiblemente, *Para éstas* se refiere a las barbas.

mientra hablo con Manrique.
Men. Soy contento. 100
Cap. ¡Qué poco conocimiento!
¡Qué vergüenza y menosprecio!
Maravillado me siento
más de vos que de aquel necio.
Man. Si es grosero, 105
pasalle por su rasero.
Cap. Mas antes es de razón
que comporte al compañero
quien tiene más discreción.
Man. ¡El villano!... 110
Cap. No se hable más en vano,
qu' es buscar más enemigos.
Dadme acá luego la mano
por vos y vuestros amigos.
Man. ¡Sús, con Dios! 115
Cap. Pues si riñen otros dos,
yo sabré mejor hacello.
Dad acá la mano vos
de no hablar más en ello.

Atam. Caballeros, 120
ved aquí tres compañeros,
hombres de rezio compás;
comenzad a dar dineros,
que tenemos muchos más.
Guz. ¿Dónde están? 125
Atam. A casa del Capitán
les tengo dicho que fuesen.
Cap. Id allá, señor Guzmán,
por caso no se partiesen.
Atam. Esperá. 130
¿Vuestra merced mandará
oírme dos palabradas?
Cap. Apartémosnos acá:
¿Qué tales serán? ¡Aosadas!
Atam. Pues, señor, 135

gentes hay que con amor
esperan que las tractéis,
y gentes que con temor,
como vos mejor sabéis.
Y esto digo 140
porque éstos vienen comigo,
y os los doy por buena gente,
por los cuales yo me obligo
que os servirán gentilmente.
Mas querría 145
que les hagáis cortesía
sin que reciban engaño,
al menos por causa mía.
Aquel mancebo, Lïaño,
qu' es osado, 150
valiente hombre y esforzado,
dispuesto ... ya podéis ver ...

MEN. ¿Quien lo hizo a aquél soldado,
pues fraile solía ser?

ATAM. Habláis mal, 155
qu' es hombre muy especial,
sobrino d'un coronel.

MEN. ¡Veis qué! ¡Reniego de tal!
Yo he oído missa d' él.

ATAM. Pues, al menos 160
no hincháis tanto los senos
de lo que mal os parece,
que aquello por muchos buenos
muchas veces acontece.

CAP. Sin pasión, 165
y aquellotros dos ¿quién son?
Que no mucho me contentan.

ATAM. Hombres de buen corazón,
d' estos bisoños que cuentan.

MEN. A las manos, 170
no nos tengan por villanos;
hablémosles, voto a Dios.

CAP. Dios os guarde, mis hermanos.
J., P. Señor, ansí haga a vos.
CAP. Yo querría 175
que digáis por cortesía
de dónde bueno venís.
JUAN. Venimos en compañía
del Comendador Solís.[15]
CAP. Por mi amor 180
que os sepáis hacer honor
y que atendáis a servir.
Lo que os dijo el Atambor,
y más, os quiero cumplir.
Pues, hermanos, 185
en casa d' esos villanos
quiero yo que os alojéis;
haced que os anden las manos,
que a discreción comeréis.
MEN. Sin dineros. 190
JUAN. Andá con Dios, caballeros.
CAP. Y quedad en hora buena.
JUAN. Vamos presto, compañeros,
revolveremos la cena.
LIAÑO. ¡Ha, patrón! 195
Daca, danos colación,
saca algunas golosinas.
PERO. Mate, mate un buen capón
o cualque par de gallinas.
COLA. Non c' è niente.[16] 200
JUAN. Bastan diez, quanto más veinte.
[COLA]. Deh, misier, non ho nesuna.[17]
JUAN. Tanto mejor, buena gente,
pues que tiene veintïuna.[18]

15 Gómez de Solís, capitán bajo Gonzalo de Córdoba y Comendador de la Orden de Santiago.
16 COLA. No hay nada.
17 COLA. Ay, señor, no tengo ninguna.
18 Chiste típico de mal entendido. Cuando Cola dice "niente", Juan entiende "veinte" y por "nesuna", "veintiuna".

COLA. Non, patrone. 205
Pan e vino vi darone,
del meglio che c' è per tutto;
anchora qualche picione,
butiro, caso, presuto.[19]
JUAN. ¡O cochino! 210
¡Yo que de hambre me fino,
tú que la gana me quitas!
Danos pan, y carne, y vino;
cómete tú tus frotitas.
COLA. I' non so. 215
Quelo ch'a io vi darò
volentier, di bona voglia.[20]
JUAN. Pues eso me quiero yo;
diz que tiene buena olla.[21]
¡Sús, galanes! 220
Ora somos capitanes,
que tenemos buen remedio.
Saca en tabra veinte panes
y un jarro d' azumbre y medio.
COLA. Non v' intendo.[22] 225
JUAN. ¡Y al dïabro te encomiendo!
Pues bien cralo te lo digo.
PERO. Déjame, que yo voy viendo
que las quiere haber comigo.
¿Queréis ver 230
si me hago yo entender
por el su mesmo lenguaje?
Madono, hazme un pracer,

19 No, señor.
Pan y vino os daré
del mejor que hay;
y también algún pichón,
manteca, queso, jamón.

20 ¡Yo qué sé!
De lo que haya os daré
de buen grado, con mucho gusto.

21 Otra vez el equívoco de palabras.

22 No os entiendo.

que mates un buen formaje.[23]
JUAN. Mas espera. 235
Pues que venimos de huera
querremos lugo dormir;
si tienes una caldera
ponla con agua a rostir.[24]
COLA. ¿Mò che fate? 240
Veni pur intra, pigliate,
si ce n' è, pur di la roba.[25]
PERO. ¿Vos no veis que os dice orate
y a mosotros gente boba?
LIAÑO. No entendéis. 245
Antes dice, si queréis,
que entremos y que comamos.
PERO. Pues entremos. ¿Qué hacéis?
Yo no sé a cuándo esperamos.
COLA. Non c' è nula.[26] 250
JUAN. ¿Que tenemos una mula?
Dios mos ha hecho la costa.
COLA. Non tocate la fanciula,[27]
po di resto, a vostra posta.

¡Ay, vilani! 255
Non vi curate, marrani.
Anchora, si Dio vorrà,
vi darò tanti malani
che so vi rencrexerà.

[23] Puesto que *formaje* significa *queso*, lo que dice Pero es una tontería.
[24] Otro disparate, porque *rostir* quiere decir *asar* o *freír*.
[25] ¿Ahora qué hacéis?
Venga, entrad y coged
lo que haya.

[26] No hay nada.
[27] COLA. No me toqueis a la chica
lo demás, allá vosotros.

¡Ay villanos!
No os preocupeis, cochinos.
Si Dios quiere, aún voy
a daros tantos disgustos
que sé que os pesarán.

Mò, 'sassini, 260
farò chiamar di vicini,
¡potana di Santa Nula!
e di altri contadini,
che vi darano la mula.

JOAN. A Dio, Cola, 265
¿voi sentir una parola?
COLA. Vo il malan che Di me dia;
certa canaglia spagnola
mi disfano casa mia.
JOAN. ¡Deh, povereto! 270
Va' in casa senza suspeto,
no aver nesun pensïere;
fa buon fogo, concia il leto,
dagli depo magnar e bere.
Simel gente 275
voglion questo solamente;
lassa andar per una sera.
COLA. Mò qui non li intende niente.
JOAN. Ti voglio amparar davera.
COLA. Tu ¿che sai? 280

Ahora mismo, asesinos,
voy a llamar a los vecinos,
¡puta de Santa Nula!
y a otros, campesinos,
que os darán para el pelo.
JOAN. ¿Qué tal, Cola,
quieres escucharme una palabra?
COLA. Venga lo que Dios quiera;
esa canalla española
me está destrozando la casa.
JOAN. ¡Ay, pobrecillo!
Vete a casa tranquilo,
no te preocupes;
enciende una buena lumbre, haz la cama,
dales luego de comer y beber.
Esta gente
no desea otra cosa;
déjalo por una noche.
COLA. Ahora si que no entiendo nada.
JOAN. Quiero ayudarte, de veras.
COLA. Y ¿qué sabes tú?

JOAN. Sono stato tempo asai
con loro presso Ferrara:
"Juras Dios, siñor, tumai
cuschilladas per las cara.
¡Majadieros! 285
Io tiengos muchos dinieros
en las Cúrdubas, Sibilias;
míos patres cabalieros
siñores de las Castilias".
COLA. Mò, coglione, 290
¿a quo modo intenderone
asta forgia, il lor parlare?
JOAN. Ti mi par un gran mincione;
ti voglio meglio amparare
dapertuto. 295
Secondo quel ch' i' ho veduto,
las cole vo dir caolata;
tuncinos vo dir presuto,
las oglia vo dir pignata.
COLA. Meglio è questa: 300
¿vo che conciamo la festa?
Iamo insieme co' mio frate,

JOAN. He estado mucho tiempo
con ellos en Ferrara
"Jura a Dios, señor, tomad
cuchilladas en la cara.
¡Majaderos!
Yo tengo mucho dinero
en Córdoba y en Sevilla;
mis padres son caballeros
señores de las Castillas.
COLA. Pero, majadero,
¿cómo voy a entender
esta jerga, su modo de hablar?
JOAN. ¡Qué tonto me pareces!
Voy a enseñarte todo esto mejor.
Según lo que yo he visto,
"coles" quiere decir "cavoli";
"tocinos" quiere decir "prosciutto",
"olla" quiere decir "pignatta".
COLA. Lo mejor es esto:
¿quieres que empecemos la fiesta?
Vamos con mi hermano,

sí gli darimo per testa
sin a cento bastonate.
JOAN. ¡Guarda il fosso! 305
Farò io quelo che posso.
Ma ¿sai, Cola, che mi pare?
Tu ti crede dagli adosso
e porresti relevare.
¿Sa perchè? 310
Ca per doi, da te e di me,
basta ben un di questoro.
COLA. Questi puro sono tre,
ch' i' solo basto per loro.
JOAN. So regaci. 315
COLA. Sono certi spagnolaci
che no vaglion tre denari,
manigoldi, forfantaci,
naturali montanari.
JOAN. Doncha, andiano, 320
e voglio che gli faciano
ritornar a la montagna.
Anche si ricordarano
di questa persino Spagna.

---

y les damos a cada uno
hasta cien bastonazos.
JOAN. ¡Mucho ojo!
Haré lo que pueda.
Pero, ¿sabes, Cola, lo que me parece?
Tú te crees que les vas a dar
y a lo mejor te dan a ti.
¿Sabes por qué?
Porque uno de ellos
vale por dos, por ti y por mí.
COLA. Aunque son tres,
yo sólo me basto para ellos.
JOAN. Son muchachos.
COLA. Son unos españolejos
que no valen cuatro cuartos,
bribones, tunantes,
rudos y montaraces.
JOAN. Venga, vamos,
que quiero que se
vuelvan a la montaña.
Se van a acordar de esto
hasta en España.

JORNADA QUARTA

GUZ.	¿Qué os parece, hermano mío,	
	d' este nuestro Capitán?	
	¿No os parece un poco frío?	
MEN.	Sí, por Dios, señor Guzmán.	
GUZ.	Mal bermejo;	5
	pero yo soy perro viejo	
	y entiendo sus ademanes.	
	Si vos queréis mi consejo,	
	no os fïéis de capitanes.	
	Ya sabemos	10
	como cuanto d' él habremos	
	no bastará para bragas;	
	yo os diré cómo hurtemos	
	una docena de pagas.	
MEN.	No curéis.	15
GUZ.	Pues escuchad, si queréis,	
	y deciros he en qué modo.	
MEN.	¿Por tan necio me tenéis?	
	Ya estoy al cabo de todo.	
GUZ.	Y al pagar	20
	si no podemos tramar,	
	¿qué remedio en fin nos queda?	
MEN.	Podémosnos esgarrar	
	en tocando la moneda.	
GUZ.	¡Voto a Dios!	25
	A mí me entierren con vos	
	y no con gente bestial,	
	y acordémosnos los dos	
	para bien y para mal.	

Y si van 30
las cosas del Capitán
como vemos a la clara,
vámonos luego a Milán,
a Génova o a Ferrara.
Diez ducados 35
en paz y en guerra pagados
hallaremos en llegando;
y aun que seremos rogados,
según yo voy barruntando.
Si podemos, 40
sendas hacas nos compremos
de razonable valía,
al menos, en que llevemos
a vuestra amiga y la mía.

MEN. Voto a Dios 45
que yo quiero llevar dos,
y no lo tengo en dos higos.

GUZ. Y una os basta para vos.

MEN. Y otra quiero para amigos.

GUZ. Pues, cargar. 50

MEN. Y estó en tiempo de llevar
otra que gane, también.

GUZ. No podréis tantas hallar
si no fuesen de almacén.

MEN. ¡Por Dios, sí! 55
Voto a Dios que van tras mí
seis docenas más que bellas.

GUZ. Hermano, pues es ansí,
carguemos un carro d'ellas.

MEN. ¿Vos burláis? 60
¡Voto a Dios! Cuando queráis
podemos llevar cincuenta.

GUZ. Mendoza, nunca hagáis
sin el huésped vuestra cuenta.
Por mi grado 65
vos no iréis d'otra cargado,
que no os es ningún partido;
basta la que habéis sacado

de poder de su marido.
Que, a la fe, 70
yo, hermano, no llevaré
sino a la vuestra comadre;
qu'es razón, pues la saqué
también de cas de su padre.
Dos, si quieres, 75
bastan a nuestros placeres;
las demás serían ascos;
no carguemos de mujeres
como franceses de flascos.
Porque ayer 80
un hombre bien de creer
me dijo, y sé que no yerra,
que se quiere revolver
una grandísima guerra.
Genoveses 85
se proveen de paveses,
florentines de pendones,
Milán se furne de arneses,
Ferrara hace bestiones.
Venecianos 90
que se habían puesto en manos
del Papa, por se acordar,
d'estos catorce veranos
no los verás concertar.
Y es mejor: 95
diz que el Rey, nuestro señor,
torna a romper con franceses,
y baja el Emperador,
y se rehacen ingleses. [28]

MEN. Que no hay duda 100
sino que el tiempo se muda
d' hora en hora, y Dios lo ordena

28 Estos preparativos de guerra pueden referirse a la nueva alianza de 1510, contra Francia, del Papa Julio II, Venecia, España, el Emperador Maximiliano y Enrique VIII de Inglaterra; o más probablemente al tratado secreto (1514) del papa con los venecianos en el conflicto renovado contra Francia.

porque la gente desnuda
se vistan a costa ajena.
De Dios mana 105
cuanto se pierde y se gana;
cada cual arguya y glose:
Dios quiere, si el pobre afana,
quel rico menos repose.
Gran grandeza, 110
que si al pobre la pobreza
hace vivir en estrecho,
que a los ricos la riqueza
no les tenga buen provecho.
¿Queréis ver 115
cómo este mucho tener
los que lo buscan son locos?
Que a muchos mata el comer
y de hambre mueren pocos.
Compañero, 120
no tengáis al caballero
codicia de su ventura,
que ¿sabéis qué's el dinero?
Una noche muy escura;
donde llega 125
parece que luego ciega
la discreción en llegando,
y el buen camino nos niega
y al malo nos va guiando.
¡Cuántos son 130
los que tienen discreción
cuando pobres compañeros,
y les falta la razón
como le sobran dineros!
¿Por qué aquéstos 135
no cobran alegres gestos
y alaban a Dios por ello,
y en pensamientos honestos
no despenden lo más d' ello?
Si yo fuese. 140

yo os prometo que supiese
gastar de galantería;
si duque o conde me viese
yo os diré lo que haría.
De contados 145
me vienen diez mil ducados,
pongo por caso, cad' año;
quiero que sean gastados
sin sentir mi honra daño.
Parad mientes: 150
los mil d'ellos en presentes
a iglesias y a pecadores,
y los dos mil a parientes,
y tres mil a servidores.
Bien me queda 155
lo posible con que pueda
despender, y ser gran hombre;
padézcalo la moneda,
no mi honra ni mi nombre.
Quiero ver 160
si de lo que ha menester
a mi gente falta nada,
cómo tienen de comer
y cómo están de posada.

GUZ. No os matéis. 165
Por agora bien podéis
partiros d'ese cuidado;
muy mejor es que penséis
de dónde habréis un ducado.

JUAN. Caballeros, 170
¿cuándo dan estos dineros,
si sabéis, por vida vuestra?

GUZ. Cuando tengan compañeros
que basten para la muestra.

JUAN. Ora ver, 175
¿no podríamos saber
dónde mandan esta gente?

GUZ. No lo sé, ni puede ser
que lo sepáis al presente.
JUAN. Mas querría 180
que por vuestra cortesía
me digáis en qué manera,
o con qué mejor haría
relucir esta pancera.
GUZ. Qu' es razón. 185
En dos modos, con sazón,
la haréis muy acabada:
o darle con su jabón,
o meterla en la colada.
JUAN. No hay vagar 190
para habella de colar,
en que estamos de partida.
Yo la quiero enjabonar
y paralla muy garrida.
GUZ. Bien haréis. 195

Esperad, que reïréis
con aquel mulaz tamaño.
MEN. Voto a Dios que vos haréis
con que riamos hogaño.
GUZ. Dad acá, 200
y entiendo que lo hará.
MEN. Yo también lo creo ansí.
GUZ. Voto a Dios, ésta será
la mayor gracia que vi.
MEN. Pues callemos. 205
De aquesta parte estaremos;
no nos pongamos de cara
ni riamos, si podemos,
hasta ver esto en qué pára.
GUZ. Bien estamos. 210
MEN. Mas mejor es que nos vamos.
Quede el necio con su afán,
que tanto cuanto tardamos
nos espera el Capitán.

GUZ. Puede ser. 215
MEN. Antes lo habéis de creer.
Vámonos, será mejor.
Al tornar podemos ver
el nuestro enjabonador.

JORNADA QUINTA

PERO. Juan Gozález, sús d' aquí,
que no es tiempo d' esperar.
JUAN. Esperá, cuerpo de mí,
que acabe de enjabonar.
LIAÑO. ¿Qué hacéis? 5
JUAN. Enjabono, como veis,
y no me aprovecha nada.
LIAÑO. Andad acá, no os matéis,
guardaldo para en colada.
PERO. ¡Alto! Vamos, 10
pues que aquí no aprovechamos
y estos villanos son malos,
y si mucho aquí tardamos
cargar nos han bien de palos.
JUAN. ¿Y por qué? 15
PERO. Porque yo entiendo, a la fe,
que quedan bien enojados,
y aun habraban no sé qué
todos tres allá encerrados.
JUAN. Si mandáis, 20
vámonos donde queráis,
pues que decís que ansí es.
PERO. Pues caminá, ¿qué esperáis?
Vamos juntos todos tres.
JUAN. ¡Qué groseros! 25

COLA. ¡Carne! ¡Carne![29]
JUAN. Compañeros,
la carne nos quieren dar;
torná, torná, manjaderos.
LIAÑO. No, que nos quieren matar.
COLA. ¡Deh, poltrone,[30] 30
'sassin, gagliofo, coglione!
Lassa l'arme, che t'amazo.
¿Tu non hai più presuncione?
Parla un poco, marranazo.
JUAN. Labrador, 35
déjame, harás mejor.
No me tomes la pancera,
qu' es del Rey, nuestro señor;
no pienses que es de quienquiera.
Cata, guarte, 40
no me trates d' aquesa arte
porque estás en tu país.
Yo te requiero, de parte
del Comendador Solís
y del Rey, 45
y también del Visorrey.
Hombres son tan d' estimar,
que por justicia y por ley
te lo sabrán demandar.
Cata, amigo, 50
no te revuelvas comigo.
COLA. ¿Que dice questo marrano?
JUAN. Tú no entiendes qué te digo,
labrador, y no villano?

CAP. ¿Qu' es aquesto? 55
JUAN. Mirad, señor, que m' han puesto

[29] Grito para animar a los soldados o ciudadanos al saqueo en los motines.
[30] ¡Hala, holgazán,
asesino, bellaco, majadero!
Suelta el arma, que te mato.
Ya no presumes ¿eh?
Di algo, só guarro.

las lanzas a la barriga.
COLA. Mò parlate pur honesto.[31]
JUAN. Mas ora tomá una higa.
COLA. Deh, siñore,[32] 60
fateme qualche favore,
vedite ch' io son povereto.
Questo poltron traditore
m' a brugiato insino al leto.
JUAN. O villano, 65
¿queréis llevar una mano?
¡Juri a Dios, si os arrebato! ...
COLA. Oldite, ser Capitano,[33]
vi dirò io come hè stato.
Questui viene 70
con doi altri, multo bene
bravando coma si fa:
qui mi buta, qui me tiene,
l' un di qua, l'altro di là.
Qui poltroni, 75
mostrandosi da baroni:
da' qua roba, si ce n' è;
da' qua fasani, caponi,
¡da, qua putana di me!
Po, ser mio, 80
domandavan non so ch' io;

[31] Ahora di la verdad.
[32] Ay, señor,
ayúdeme,
mire que soy pobre.
Este gandul traidor
me ha dejado hasta sin cama.
[33] COLA. Oiga, señor Capitán,
yo le diré como ha sido.
Viene éste
con otros dos,
haciéndose el bravucón como siempre:
aquí me tira, aquí me agarra,
uno por aquí, otro por allá.
Estos gandules,
dándoselas de pillos:
dános lo que haya,
dános faisanes, capones,
¡dános la puta mía!
Luego, señor mío, pedían qué sé yo;

e si 'l dissi: non c' è nula,
loro, a dispecto de Dio,
si volevano una mula.
Po questoro 85
dimentre che mi parloro
gli parlai con cortesía,
e dicevan sempre loro
che i' dicesse vilanía.
Po davera 90
magniaro quel che ce n' era,
ben che fusse lor vergoña;
po la matina e la sera
domandavan la bisogna.
Piû bestiale 95
non fu gente da cotale,
secondo quel ch' io vegio,
que loro v' intendon male
e voi a lor anche pegio.
CAP. Lassa fare, 100
che ti voglio far pagare
fin al vltimo quatrino;
anche farò castigare

---

y cuando les dije que no había nada
ellos, a despecho de Dios,
querían gresca.
Además
mientras me hablaban
les hablé con cortesía,
y ellos decían siempre
que les hablaba de mala manera.
Luego en verdad
se comieron lo que había,
para vergüenza suya;
después mañana y noche
pedían lo que necesitaban.
Más grosera
nunca hubo gente que ésta,
a lo que yo veo,
que a uno le entienden mal
y a ellos se les entiende peor.
CAP. Déjame a mí,
que quiero que te paguen
hasta el último céntimo;
y además haré castigar

quel manigoldo sassino.
Viene qua; 105
io voglio, si Dio vorrà,
far una poca de gente;
si a voi altri piacerà,
vi pagarò gentilmente.
COLA. Ma de sì. 110
CAP. Lassate, che farò, mi,
che serite ben tractari.
COLA. ¿Mò si pò venir cossì
da contadin fra soldati?
CAP. Ben sapite; 115
nondimeno, si volite
lassar un po quel gabano,
piû piacer me ne farite.
COLA. Volentier, ser Capitano.

CAP. Decid, vos, 120
¿dónde son los otros dos
que estaban con vos ayer?
JUAN. Tomad, que ¡cuerpo de Dios!
idos se son a pracer.
CAP. Pues corré, 125
llamaldos, por vuestra fe;
haremos luego la muestra.
JUAN. ¿Y adónde los hallaré?

---

a aquel bribón asesino.
Ven aquí;
deseo, si Dios quiere,
reclutar alguna gente;
si a vosotros os gusta,
os pagaré generosamente.
COLA. Pues claro que sí.
CAP. Dejadme, que yo haré
que se os trate bien.
COLA. Pero ¿se puede pasar así de
campesino a soldado?
CAP. Bien decís;
sin embargo, si quereis
quitaros ese blusón,
me alegraré mucho.
COLA. De buen gusto, señor Capitán.

CAP. Caminad, por vida vuestra.
GUZ. ¿Qué haremos? 130
Y esta muestra ¿no sabemos
en qué lugar ha de ser?
CAP. Desd' aquí nos ordenemos,
y vamos en Belvider.
GUZ. ¿Por qué allá? 135
CAP. Para qu'el Papa querrá
ver a quien da su dinero,
y ansí me lo han dicho ya
de parte del tesorero.
GUZ. Pues, señor, 140
si os queréis hacer honor,
lleven todos cosaletes;
o pensaldo vos mejor
que sabéis servir a pretes.
CAP. Bien habláis. 145
Largo todos, si mandáis;
dejadnos hablar un poco.

Yo quiero que me digáis
si en esto soy cuerdo o loco.
Yo he tomado, 150
como me fue consejado,
cien cosaletes muy buenos
que me cuestan a ducado,
y aun alguna cosa menos.
Al pagar 155
se los tengo de contar
al menos ducado y medio.
GUZ. Si os queréis aprovechar
no tenéis otro remedio.
CAP. Más haremos, 160
que con éstos tomaremos
muchos petos de almacén,
en los cuales ganaremos
alguna cosa también.
GUZ. Cierto está. 165

CAP. D' este modo se podrá
cargalles bien la borrica,
pues cada cual me dará
los dos julios de la pica.

GUZ. Y aun, siquiera, 170
para ayuda a la bandera [34]
sacaldes sendos carlines.

CAP. Quéjanse luego doquiera.

GUZ. Vayan para hidesrruines.
¡Qué placer! 175
Pues también es menester,
y es usanza y justo fuero,
que os paguen un furrïer
y un capellán y un barbero.

CAP. Si harán, 180
en las pagas que vernán,
y será mucha razón.

GUZ. D' ese modo dejarán
cada paga un repelón.

CAP. Bien sabéis, 185
y vuestra parte ternéis.
Aquesto para con vos.
Trïunfemos, si queréis
estos dineros de Dios.

GUZ. Muy bien es. 190
Pero son las veinte y tres; [35]
vamos, señor, sin tardanza.

CAP. ¡Al orden! ¡De tres en tres!
¡Sús, sús, sús, al ordenanza!

Villancico

¡Sús, al orden, tres a tres! 195
Cada cual tome su lanza.

34 Parece que el capitán o los soldados tenían que comprar la bandera de la compañía. El capitán había dicho que él mismo pagaría el estandarte (III, 33-34).

35 En el día de veinte y cuatro horas, como se calculaba en Italia entonces, sería una hora antes de la puesta del sol.

¡Sús, sús, sús, al ordenanza!

Las grullas en su volar
por orden las vemos ir;
los pueblos para durar 200
por orden se han de regir;
pues ordene su vivir
todo aquel que seso alcanza.
¡Sús, sús, sús, al ordenanza!

¡Sús, al orden ...

Bien es las damas servir 205
y a cada cual en su grado,
y penar hasta morir
en lugar bien empleado;
que un morir bien concertado
pone la vida en holganza. 210
¡Sús, sús, sús, al ordenanza!

COMEDIA TINELARIA

PERSONAS

BARRABÁS	*credenciero*
METREIANES	*cocinero*
ESCALCO	
DESPENSERO	
MASTRO DE CASA	
CANAVARIO	
MATHÍA	*criados*
FRANCISCO	
FABIO	
PORTUGUÉS	
TUDESCO	
MIQUEL	
VIZCAÍNO	
PETIJÁN	
GODOY	*escuderos*
MOÑIZ	
OSORIO	
DECANO	
PALAFRENERO	
TROMPETA	
MANCHADO	*rústico*

Tinelo en el palacio de un cardenal, en Roma

INTROITO Y ARGUMENTO

Hasta aquí por excelencia
me sirvió la suerte mía,
que me condujo en presencia
de tan alta compañía.
Ciertamente, 5
servir a tan noble gente
no ha sido mal pensamiento,
si el servicio es conveniente
con tanto merecimiento;
que en verdad, 10
bien que guíe voluntad,
si doctrina no acompaña,
ante tanta majestad [1]
quien más osa más s'engaña.
¿Cuál poeta, 15
y a cuál persona discreta
le basta el ánimo, en suma,
no que en serviros se meta,
mas que pensarlo presuma?
Cierto, creo, 20
convernía del deseo
hacer lenguas y razones,
como hacen, según veo,
de la pasta macarrones.
Mas ¡andar! 25
Que la grandeza del mar,

1 Recordamos que esta comedia se representó ante el Papa León X, el Cardenal de Santa Cruz, D. Bernardino de Carvajal, protector del autor, y el Cardenal Julio de Médicis.

do cualquier río se expande,
tal cara suele mostrar
al pequeño como al grande.
Ora, pues, 30
si mis versos tienen pies,[2]
variis linguis tiren coces;
que vatibus hic mos est
centum his poscere voces.
Yo's prometo 35
que se habrán visto, en efecto,
de aquestas comedias pocas;
digo, qu'el proprio subieto
quiere cien lenguas y bocas,
de las cuales 40
las que son más manüales
en los tinelos de Roma,
no todas tan principales
mas cualque parte se toma.
Veréis vos 45
¡Iur' a Dio! ¡Voto a Dios!
¡Per mon arma! ¡Bay fedea!
¡Io, (b)bi Got! y ¡Cul y cos!
¡Boa fe, naun, canada e mea! ...[3]
D'esta gente 50
va tocando brevemente;
todo el resto es castellano,
qu'es hablar más conveniente
para cualquier cortesano;
qu'el auctor 55
con el deseo y amor

2 Si mis versos tienen pies,
que tiren coces en varias lenguas;
porque los profetas suelen
necesitar cien voces.

3 ¡Juro a Dios! ¡Voto a Dios! ¡Por mi alma! ¡Sí, por mi fe! ¡Sí, por Dios! y ¡Culo y cuerpo! ¡De veras, uno no, dos litros y medio! Juramentos y locuciones de la época en italiano, español, francés, vascuence, alemán, catalán, y portugués. La expresión catalana, "¡Cul y cos!", es bastante obscena pero ingenua. *V.* en *La lozana andaluza,* ed. Damiani, p. 59, "...como dijo Juan del Encina, que 'cul y cap y feje y cos echan fuera a voto a Dios'".

con que serviros procura
se puso en esta labor
de la comedia futura.
Y a mi ver, 60
los que podrán atender
ganarán un paraíso,
y no sólo un gran placer
mas un gran e útil aviso,
los mayores 65
que a aquestos grandes señores
ora pudieran venir:
de cómo sus servidores
piensan otro que en servir.
¡Cuán continas 70
las tardes y las matinas
los veréis haciendo guerra
a las pobres de cantinas
hasta meterlas so tierra!
¡Cuán ahotas 75
encuentran las negras botas
donde están arrinconadas,
escorchando las pañotas,
brusando las carbonadas,
y enemigas 80
sus personas de fatigas,
no de la galloferia:
concilios, bandos y ligas, [4]
cuatrocientas cada día.
Si esperáis, 85
haremos como veáis
lo que agora oído habéis,
para que aquí lo riáis
y en casa lo castiguéis.
Pues, mis amos, 90
la comedia intitulamos
à tinelo, Tinelaria,

[4] Parece ser alusión a ciertos poemas burlescos como el *Concilio de los galanes y cortesanos de Roma* y *Bando de Cupido*, que escribió este mismo autor.

como de Plauto notamos
que de asno dijo Asinaria.
Y entre nos, 95
tinelos y asno, par Dios,
no difieren mil pasadas,
pues ya veis que todos dos
se mandan a bastonadas.
Donde espero 100
que a todos muy por entero
vos daremos que reír,
como de aquel carpintero [5]
que os deseaba servir.
Desde aquí 105
crean, señores, de mí,
si el auctor en algo erró,
que por ignorancia, sí,
pero por malicia, no.
Del tardar, 110
dos horas puede durar,
poco más, según yo siento;
con todo quiero 's contar
un poco del argumento.

De la provincia de Egipto 115
vino en Roma un gran doctor,
al cual Papa Benedicto
recibió con grande honor;
y ansí es
que llegó a besar los pies 120
al Papa con gran deseo,
y alojado fue después
en aquel gran Coliseo.
Do llegado,
por ser un hombre estimado, 125
sus letras dignas de cedro,

[5] Puede ser alusión a cualquier tentativa de volar hecha a principios del siglo XVI. Recordemos las máquinas voladoras dibujadas por Leonardo da Vinci.

le dieron un obispado
de la Escala de Sant Pedro.
Prestamente,
por ser su fama excelente, 130
fue Cardenal de San Iano,
y llamado vulgarmente
el Cardenal de Bacano.[6]
Su familla,
rica y grande a maravilla, 135
varijs linguis que veréis
(bien que serán de Castilla
de siete partes las seis)
trïunfaban;
mejor tinelo les daban 140
qu'el de algunos cardenales,
pero todo lo robaban
los traidores oficiales.
Sus subiectos
hacían tales efectos 145
que pasaban mucho mal
los vientres de los pobretos
y el honor del Cardenal.
Y acontece
que la familla padece 150
por esta descortesía,
y aquéllos, según parece,
se emborrachan cada día.
¿Queréis ver?
Ora vernán a comer 155
en este sancto tinelo;
los que querréis atender,
no podrán tardar un pelo.
Y esto siento
que basta para este cuento, 160
sin más deciros sus nombres,

6 El Cardenal Julio de Médicis, primo del Papa León X, más tarde Clemente VII; o bien, como se dijo en la introducción, puede ser el Cardenal Carvajal. *Familla* en la línea 134 se refiere a los familiares y servidumbre.

qu'el tinelo y su argumento
hoy lo ignoran pocos hombres.
Al yantar
os podéis también llegar 165
los que yantado no habréis,
con un rëal singular
y un escaño en que os sentéis.
Más no espero,
porque viene el Credenciero; 170
Barrabás diz que se llama,
nombre como carne y cuero
tan conjunto con su fama.

JORNADA PRIMERA

BAR. Esta nuestra lavandera
no viene con las tobajas.
¿Si piensa la escopetera
que me duermo yo en las pajas?
Ya va mal. 5
Por vida del Cardenal
que yo os la ponga del duelo,
y aun que no halle otro tal
credenciero del tinelo.
De contino 10
le doy pan, y carne, y vino
que suma buenos cuatrines,
que al menos cada camino
se lleva cinco carlines.
Todavía 15
sé yo que triunfaría,
y aun con ella sus vecinas,
pues con sólo el pan podría
mantener bien cien gallinas.
Mas es necia. 20
Harto le digo: Lucrecia,
conserva mi buen partido;
mas el bien nunca se precia
hasta después qu' es perdido.
Pues, andar, 25
que a mí no puede faltar
por mis dineros corambre,
y a ella espero llegar

	a verla morir de hambre.	
	Ya son dos.	30
LUC.	Buenos días te dé Dios.	
BAR.	¡O qué milagro tamaño!	
	Y buenas noches a vos,	
	porqu'es la mitad del año.	
LUC.	¿He tardado?	35
BAR.	Tanto que m' has enojado	
	para hacer maravillas.	
LUC.	Por tu vida que he esperado	
	que tocasen campanillas.	
BAR.	¡Qué placer!	40
	Dime ¿quién debe atender,	
	si presumes como sueles,	
	los manteles al comer,	
	o el comer a los manteles?	
LUC.	No sé nada.	45
	Comoquier que fui criada	
	donde siempre fui servida,	
	sé muy poco de colada	
	y menos de aquesta vida.	
BAR.	¡Guay de mí!	50
	Diez años ha que te vi	
	morar en el Burgo Viejo,	
	que siempre te conocí	
	lavandera de concejo.	
LUC.	¿Cómo, qué?	55
	Pues no ha más que me casé;	
	mira si bien has mentido,	
	pues harto estuve, a la fe,	
	con el ruin de mi marido.	
BAR.	Si querrás,	60
	dime cuántos años has;	
	no me niegues la verdad.	
LUC.	Veintidós, par Dios, no más,	
	he hecho por Navidad.	
BAR.	Ora, pues,	65

no quiero ser descortés,
pero, ansí me ayude Dios,
que creo que ha veinte y tres
que dices que has veinte y dos.

LUC. Di, pues, ea, 70
que aquella que en ti se emplea
se puede contar por loca;
nunca yo fui vieja y fea
sino en tu maldita boca.
¡Ay, perdida! 75
Que de nadie en esta vida
nunca fui tan mal tractada,
ni de hombre menos querida
ni menos acariciada.
Y aun ayer, 80
por quererte a ti querer,
cosa que no me conviene,
he dejado un mercader
que me diera cuanto tiene.
Y aun hiciera 85
que en llegando me vistiera,
y hoy me ruega de hora en hora,
y en su casa me tuviera
servida como señora.
Desgraciado, 90
dime ¿dónde has tú hallado
otra boba como yo,
que hobiera por ti negado
la madre que me parió?
Bien me niembra 95
que quien en ruin tierra siembra
diz que coge mal y tarde.
¡Maldita sea la hembra
que se fía d' un cobarde!

BAR. Calla, esposa; 100
por una tan poca cosa
no tomes esos enojos,
que no hay dama más hermosa,
si preguntan, a mis ojos.

¿Qué más quieres? 105
Vieja o moza, cual tú fueres,
quiero yo más tu jervilla
que a todas cuantas mujeres
han salido de Castilla.

LUC. Sí, por cierto. 110
¿Tu querer falso, encubierto,
sin haber de mí memoria,
o el querer d'aquel qu'es muerto?
Ponga Dios su alma en gloria.

BAR. Di ¿quién es? 115

LUC. Ya salías al través
a saber por quién dijera ...
¡Mi señora doña Inés,
que nunca morir debiera!
¡Con qué ganas, 120
más que a todas mis hermanas
me tuvo tan grande amor
y me dio cosas galanas
aunque era yo la menor!
Si venía 125
cualquier cosa de valía
de la India o de Venecia,
en ese punto decía:
"Aquesto para Lucrecia".
¡Qué señora! 130
Si viviera hasta agora,
nunca tú, traidor cruel,
me darías de hora en hora
los tragos de amarga hiel
que me das. 135
Pero tú me perderás
por darme tan mala vida,
y entonces me alabarás
como me tengas perdida.

BAR. Calla, amiga, 140
no tomes esa fatiga
porque me burlo contigo,
que cualquier razón me obliga

a serte muy buen amigo.
Luc. ¡Ay, qué pieza! 145
Si Dios ansí me endereza
yo seré la bien librada,
que me lavas la cabeza
después de descalabrada.[7]
Bar. ¡Qué hablar! 150
Cata que eres de culpar,
si a quien te quiere sin cuento
no le sabes comportar
una palabra de viento.
Luc. ¡Ay, mas cuántas! 155
Comporto tantas y tantas
a quien no me mereció,
que sé que no hay en las sanctas
otra mártir más que yo.
Bar. Qu'es verdad. 160
Hagamos esta amistad
y sanemos todas dudas.
Luc. Anda, saco de maldad,
qu'éste fue el beso de Judas.
Bar. No haya más. 165
Espera un poco, y verás,
si quieres, de lo que habrá.

* * *

Luc. Ve, que tú me manternás,
mas otro me gozará.
¡Qué placer! 170
¡Cómo le hago creer
que las piedras son pan tierno!
Y no lo puedo más ver
que al dïablo del infierno.
¡O bestial! 175
¡Qué galera tan rëal
esperabas hoy, ahotas,

7 Recuerda cómo el ciego le lavó la cara a Lazarillo después de descalabrarle con el jarro del vino.

si supiese el Cardenal
por dónde van sus pañotas!
Y aun diría, 180
jurando por vida mía,
que si él cayera en la cuenta
no te diera el otro día
treinta ducados de renta.
¡Mundo astroso! 185
¡Que a un traidor y a un malicioso
nunca falta que le den!
Si éste fuera un virtüoso,
en su vida hobiera bien.

BAR. Toma aquí, 190
y no te quejes de mí
pues que ves que no te olvido.
LUC. Hallase yo amor en ti,
que otro bien nunca te pido.
BAR. Toma presto. 195
Vete agora con aquesto
porque lo puedas cobrir;
yo haré después del resto
cuando me fuere a dormir.
LUC. Al cenar 200
no me hagas esperar.
BAR. Si tardare, cena y calla,
que yo no puedo faltar
de cumplir con la canalla.
Si me esperas 205
levaré en todas maneras
mis pollos con su tocino,
pan blanco, buen queso y peras
y un par de jarros de vino.
LUC. Sí haré. 210
BAR. Sola un hora tardaré;
esto quiero que me esperes.
Ten buen fuego cuando iré,
y convida a quien quisieres.

No te atrevas 215
a poner con nadie en nuevas,
qu' estos mozos son astutos.
Si te preguntan qué llevas,
di que son los paños brutos.

LUC. En buen hora. 220

BAR. Dios te guíe, mi señora.

LUC. Y él te guarde, mi señor.

BAR. Contenta va la traidora
hoy que le hice favor.

ESC. Barrabás, 225
no medres ¿y cómo estás?

BAR. Ayuno.

ESC. Por Dios, ruin tacha.
Mas, en fin, no lo estarás,
que alegre va la muchacha.

BAR. De placer, 230
porque estábamos de ayer
un poquito diferentes.

ESC. Muy rapaza debe ser,
que agora muda los dientes.

BAR. Es de aquellas 235
qu'el hombre se sirve d'ellas,
y vive y hace su hecho;
y aun más de cuatro doncellas
no son tales en el lecho.
No te rías, 240
que en aquestas noches frías
ya me escallenta un poquito.

ESC. Yo sé bien que con los días
no ha perdido el apetito.

BAR. Bien atinas. 245
Como cuentan mis vecinas,
mayormente Celestina,
diz que las viejas gallinas
hacen buena la cocina.

ESC. Ven acá; 250

tú que las conoces ya
y entiendes en sus consejas,
búscam' ora por allá
una d'esas putas viejas.
BAR. ¿Abadesa? 255
ESC. Y aunque sea prïoresa.
Haz tú que venga camino.
Pon las tobajas apriesa
mientra mando por el vino.
BAR. Di, grosero, 260
¿no almorzaremos primero
que se toque la baqueta?
ESC. Llamemos al Cocinero,
si tiene que nos prometa.
¡Metreianes! 265

MET. ¿Mon ami?
ESC. Tengo dos panes
y un jarro de malvasía.
¿Guardaste de los faisanes
como te dijo Mathía?
MET. Acuté: 270
par ma foy g'i ballaré
chiosa di bon compañón.[8]
BAR. Aosadas, que ya yo sé
qu'él hará bien la razón.
ESC. Haz de modo 275
que nos pongas hoy del lodo
con tu afán y nuestro gasto.
BAR. Mira qu'el hígado todo
lo apartes del antepasto.
Y pues, cata: 280
haz una salsa beata
que nos sea reservada,
y el graso de la piñata

8 MET. Oiga:
por mi fe, yo le daré
como buen compañero, alguna cosa.

pásalo en nuestra caolada.
MET. Faré bien. 285
ESC. No es menester que le den
del aguijón al calcaño.
BAR. ¡O hideputa! ¿Pues quién?
ESC. Voto a Dios qu'es buen compaño.
BAR. ¿No notáis? 290
Las dos libras que le dais
que lleve donde sabéis,
cuando vos allí no estáis,
voto a Dios que toma seis.
ESC. ¡Gran çossario! 295
Mas la carne y el salario
no saldrían de sus tasas,
sino qu'él y el Canavario
tienen juntas sus bagasas.
BAR. ¡Voto a Dios! 300
Lo que agora decís vos
han ya oído mis orejas.
ESC. Cada noche van los dos
muy cargados como abejas.
BAR. Pues, aosadas, 305
si una d'estas madrugadas
queremos ir do las tienen,
les demos mil bastonadas
que no sepan dó les vienen.
ESC. Bien sería, 310
que omni modo holgaría
que llevasen una mano.
BAR. ¡Voto a la Virgen María
que será un hecho romano!
ESC. Sea ansí: 315
yo te dejo el cargo a ti
qu'esta noche los espíes,
y después llámame a mí,
démosles el bona dies.
BAR. Ansí sea. 320

MAT. Almorzar, señores, ea,
quel Coco dice qu'es hecho.
ESC. Vamos do nadie nos vea,
porque nos tenga provecho.
BAR. Dad acá; 325
en mi cámara será,
porque allí presumo yo
que apenas nos hallará
la madre que nos parió.
ESC. Cuanto más 330
que sé yo que tú ternás
alguna cosa de bueno.
BAR. Sed cierto que Barrabás
no se duerme ansí en el heno.
ESC. Dime al menos ... 335
BAR. Anoche henchí los senos
sin que asimos yo y un paje
siete pasteles muy buenos
de ciervo y puerco salvaje.
ESC. Buen envite. 340
Pero yo hago el rebite
con una gentil somada.
BAR. ¿Todos ayer del convite
fuimos hombres de levada?
ESC. ¿Qué más quieres? 345
Mi mozo gastaplaceres,
aunque no es de los taimados,
alivió un par de piqueres
que valen sendos ducados.
BAR. Guarda, hermano, 350
qu'ese mozo es gran villano,
y han dicho, según que siento,
que faltaron antemano
no sé qué platos de argento.
ESC. ¡Majadero! 355
¿No sabes? Decirlo quiero:
que son rüidos hechizos,
porqu'el mesmo credenciero
se los hace perdidizos.

MAT. ¿En qué estáis? 360
Yo no sé qué os esperáis.
¡Qué tardada tan donosa!
ESC. ¿Qué nos quieres?
MAT. Que vengáis,
que se enfría aquella cosa.

ESC. Luego vamos. 365
Ansí que, como hablamos,
nosotros solos perdemos,
que servimos y afanamos
y ganancia no tenemos.
Beneficios 370
ya no se dan por servicios;
mas veo, pues que así es,
que a los que tienen oficios
debrían dar tanto al mes.
BAR. Séos decir 375
que me dieron a sentir
unas nuevas ¡y qué tales!
Que quieren dar de vestir
a todos los oficiales.
ESC. Es peor; 380
que diré yo a Monseñor
que por mí me salgo afuera.
BAR. ¿Y por qué?
ESC. Por la color;
que se llama verde espera.
BAR. No haya más. 385
Yo os digo que Barrabás
lo ha sabido de buen arte.
ESC. Ven acá, ¿qué me darás
desde agora por mi parte?
BAR. ¿Cómo, qué? 390
Diez ducados os daré,
la mitad en castellanos.
ESC. Diez rëales tomaré,
y aun alzando a Dios las manos.

MAT. ¡Voto a Dios! 395
Esperándo's a los dos
la cazuela está ya fría.
BAR. Id delante, Escalco, vos;
luego vamos yo y Mathía.
MAT. ¿Cómo ansí? 400
BAR. Ven acá, tenme d'allí,
pongamos estas tobajas.
MAT. ¿Tú quieres, cuerpo de mí,
que vamos a las migajas?
BAR. No harán, 405
qu'ellos nos esperarán.
Tira más.
MAT. Que bien está.
BAR. Estótras.
MAT. ¡O gran afán!
Acabemos ora ya.
BAR. No haya más, 410
que a buen tiempo llegarás.
Pon allá esos dos saleros.
MAT. Pues acaba, Barrabás,
qu'esperan los compañeros.
BAR. Por tu fe, 415
que aun agora me acordé;
los platos han parecido.
MAT. ¿Cuáles platos?
BAR. No lo sé.
¿Los seis que habías perdido?
MAT. Sí, por Dios. 420
Habéislos perdido vos
en prestar a gente necia.
BAR. Yo no sé de más de dos
qu'están en cas de Lucrecia.
MAT. Ansí es; 425
y el Canavario otros tres.
¡Medraré con el estaño!
Cuanto gano mes a mes
me quitan en fin del año.
BAR. ¡O cuidado, 430

Vittoria Colonna esposa del Marqués de Pescara, a quienes Torres Naharro dedicó la *Propalladia*. Retrato pintado por G. Muziano

Galería Colonna

Alejandro VI citado por Torres Naharro en la *Propalladia*

Palacio Vaticano. Sala Borgia

que se me había olvidado
lo que ayer te prometí!
¡Qué muchacha t' he hallado
que te dará hasta aquí!
MAT. No me pesa. 435
BAR. Bonita, derecha y tesa,
graciosa, gentil, aosadas.
MAT. ¿De qué nación?
BAR. Bolonesa.
MAT. Todas son muy agraciadas.
¿Quién la tiene? 440
BAR. Un mercader la mantiene,
más viejo qu'es menester.
MAT. Pues aquí, hermano, conviene
que la vamos luego a ver.
BAR. Sufre y calla. 445
No des parte a la canalla,
que esta noche nos iremos.
Irá Lucrecia a llamalla,
todos juntos cenaremos.
MAT. Sea ansí. 450
BAR. No quiere nada de ti
sino que seas su gallo,
y si sale por ahí
que le busques un caballo.
MAT. Yo 's prometo 455
de servilla con efecto,
porque Moñiz me requiere
que cabalgue su muleto
cuantas veces me pluguiere.
BAR. Pecador, 460
busca remedio mejor,
y no te empaches con locos.
MAT. ¡O, qu'es mucho mi señor!
BAR. Manda potros y da pocos. [9]

9 Promete pero no cumple.

ESC. ¡Ahorcados! 465
¿Qué hacéis ahí parados?
¿Queréis venir a comer?
BAR. ¡Y cuánto! Qu'estos bocados
no son, par Dios, de perder.

JORNADA SEGUNDA

BAR. Por tu fe, hermano Mathía,
¿cuántas horas son tocadas?
MAT. A la fe qu'es medio día.
BAR. Corre, da las baquetadas.
¡Sús, camina! 5
Diles que vengan aína
con el vino esa canalla.
MAT. No está nadie en la cantina,
ni el Canavario se halla.
BAR. ¡Gran poltrón! 10
Déjam' ir con un bastón
a decille una palabra.
MAT. Mirad cuál va el asnejón,
y hüirá d'una cabra.
FRAN. ¿Comeremos? 15
MAT. Lo principal no tenemos,
ni traen vino ninguno.
FRAN. Por Aquel en quien creemos,
qu'el Escalco no está ayuno.
FAB. ¡O Francesco! 20
¿Hai tu visto ogi il tudesco? [10]
FRAN. No lo he visto. Mas ¿por qué?
FAB. Per Dio vero que stai fresco: [11]
gran male dice de te.
FRAN. ¿Ya se iguala? 25

10 ¿Has visto hoy al alemán?
11 FAB. Por Dios, la verdad es que estás en buen aprieto: [el alemán] habla muy mal de ti.

Calle, pues, en hora mala,
no pague suyo y ajeno.

FAB. 'L ha dito al Maestro di stalla [12]
que tu li robasti il feno.

FRAN. ¡Dios no pese 30
si no hago que me bese,
hablando con reverencia! ...

FAB. Ecco là il portogalese, [13]
ch' egli era anchor in presencia.

PORT. Nau sei nada. 35
Ia lle dera hua pancada,
que ¡voto ao corpo de Deus! ...
Mais teveren-me da• spada
aqueles porcos iudeus.

TUD. Ego non, 40
¡per Deum!

FRAN. ¿Habláis aón?

PORT. ¡Fi de caun!

FRAN. Dale sin duelo.

PORT. Agradecey-o, cabrón,
qu'estamos en o tinelo.

FRAN. No curéis, 45
que vos me la pagaréis.

MAT. No riñáis, por vuestra vida;
contaros he, si queréis,
una nueva qu'es venida.

---

12 FAB. Le ha dicho al encargado de la cuadra
que tú le robaste el heno.

13 FAB. Mira, ahí está el portugués,
que también estaba presente.
PORT. No sé nada.
Yo le daría un golpe,
que ¡voto al cuerpo de Dios!...
Si no me cogieran la espada
aquellos judíos sucios.
TUD. Yo no.
¡por Dios!
FRAN. ¿Habláis aún?
PORT. ¡Hijo de perro!
FRAN. Dale sin duelo.
PORT. Da gracias a Dios, cabrón,
que estamos en el tinelo.

FRAN. Di, pariente. 50
MAT. Diz que agora nuevamente,
por toda Castilla arreo
se hace infinita gente,
que me lo dijo el correo.
PORT. Ollay lá:[14] 55
pois si Portogal querrá,
amar ha suas caravelas
en cantas guerras habrá.
Ora andai e cagai 'n ellas.
FRAN. ¡Gran Castilla! 60
Que si saca su cuadrilla
no hay, par Dios, quien se le acueste.
MAT. Que solamente Sevilla
puede sacar una hueste.
PORT. Eu vos fundo[15] 65
e vos concedo o segundo,
que Sevella he muyto boa;
mais Sevella e tudo o mundo
he merda para Lisboa.
MIQ. No crideu, 70
que quant vos altres dieu,
que vull parlar ab paciencia,
es no res, pel cul de Deu,
ab lo bordell de Valencia.
VIZ. Digo, hao, 75

14 PORT. Mirad ahí:
pues si Portugal quiere,
armará sus carabelas
en todas las guerras que haya.
Ahora, idos a cagar en ellas.

15 PORT. Estoy de acuerdo
y te concedo el segundo,
que Sevilla es muy buena;
mas Sevilla y todo el mundo
es basura comparada con Lisboa.
MIQ. No gritéis,
que todo lo que vosotros decís,
pues quiero hablar con paciencia,
no es nada, por el culo de Dios,
comparado con el burdel de Valencia.
VIZ. Digo, hao,

yo criado estás en nao,
vizcaíno eres por cierto;
mas juro a Dios que Bilbao
la tiene mucho buen puerto.

PET. Nani, rien: 80
¿vus ete vus sabi bien
notre studi de París?

FRAN. Mal garrotazo me os den
si entiendo lo que decís.

PET. Mon ami, 85
per la xar de notre Di,
lo gran Roy y lo Delphín ...

FRAN. Ora, por amor de mí,
que sorrabes un mastín.

PET. Gran mersé. 90

VIZ. Castillanos, a la fe,
la tiene mil raposías.

FRAN. Yo, por Dios, ninguna sé.

VIZ. Juro a Dios, sabido habías.

PORT. Day cá, irmaons; [16] 95
eu vos digo que marraons
son, da casta do dïabo.
Naun brinqueis con castelaons
que trazen tan longo o rabo.

FRAN. Cosa cierta 100
es haber luego rehierta

---

fui criado en nave,
vizcaíno soy por cierto;
pero juro a Dios que Bilbao
tiene muy buen puerto.

PET. No, de ninguna manera:
¿conocéis vosotros bien
nuestra universidad de París?

FRAN. Mal garrotazo me os den
si entiendo lo que decís.

PET. Amigo mío,
por nuestro Dios encarnado,
el gran rey y el delfín ...

16 De ahí para acá, hermanos;
yo os digo que marranos
son, de la raza del diablo.
No juguéis con castellanos
porque tienen la cola larga.

con quien va fuera de ley,
y con quien diz que a su puerta
cagó el caballo del rey.

MAT. ¡Qué varones! 105
Y aun dicen en sus razones
algunos más ahotados
que chantaba os cagallones
por enriba dos tellados.[17]

PORT. Naun zumbés,
que Iudas foi cordoués,
e muyto ben se vos prova;
e Deus foi portogués
de meo da Rua Nova.

MIQ. ¡Cap de tal! 115
Tots serem a la cabal,
puig que veig tala esperiencia,
que n'i a folls en Portogal
com orats n'i ha en Valencia.

FAB. ¿Non pensate 120
que catilan magna rate,
castiglian senza castello?
Quanti spagnoli trovate
si trovan poco cervelo.

FRAN. No curéis; 125
que locos como los veis,
substentando hadas malas,
pocos pobres hallaréis

17 MAT. ... ...
por encima de los tejados.
PORT. No te burles,
pues Judás fue cordobés,
y muy bien se os prueba;
y Dios fue portugués,
de en medio de la Rua Nova.
MIQ. ¡Cuerpo de tal!
Todos debemos darnos cuenta, según veo,
hay tantos locos en Portugal
como orates hay en Valencia.
FAB. ¿No sabes
que el catalán come ratas
y el castellano no tiene castillo?
En cuantos españoles te encuentres
encontrarás poco seso.

por cocinas ni en estalas.
FAB. Tutauía [18] 130
parlarò senza bugia:
non li vedo mendicando,
perch' ano più fantasia
che non hebe mai Orlando.
FRAN. ¡Veis qué glosa! 135
No tenemos mejor cosa
que esa poca presunción,
porque es virtud virtüosa
y en favor de la nación.
VIZ. Pues, callar. 140
Yo no quieres porfïar, [19]
mas si alguno guerra viene,
vizcaínos por la mar,
juro a Dios, dïablo tiene.
FAB. Certamente, 145
buzcaíno 'l è valente,
¡al corpo de Iesuchristo!
FRAN. Sé c'os veáis una gente
que nunca tal habéis visto.
FAB. Bien digáis. 150
FRAN. Pero 's hago que sepáis,
como nuestro campo parta,
que por Italia do estáis
os arrastren gente harta.
FAB. Puis, yrmano, [20] 155
¿per qués cosas restirano
istas gentes que diezís?

18 Sin embargo,
no diré mentiras:
nunca los veo pidiendo limosna
porque tienen más orgullo
que jamás tuvo Orlando.

19 ... ...
No quiero porfiar,
... ...

20 Pues, hermano,
¿por cuáles se quedarán aquí
estas gentes que decís?

FRAN. C'acá aý, de mano en mano,
guardarán todo el país.

ESC. ¿Qué se hace? 160
¿No sabéis que no me place
que hagáis taverna aquí?
Si esperáis que os amenace,
acordaros eis de mí.

GOD. ¡Qué remor! 165
Buenos días, mi señor.

ESC. Bien venga vuestra merced.

GOD. ¿No me haréis un favor,
que vengo muerto de sed?

ESC. Y aun cumplido, 170
si el vino fuese venido.

MOÑ. Buenos días, caballeros.

GOD. ¡O cómo venís polido!
Muéranse ora los barberos.

MOÑ. Bien sabéis. 175
Escalco, ¿no me haréis
una grandísima gracia?
Que a mi mozo le matéis
y no le deis contumacia.

FRAN. ¿Cómo es eso? 180
¿Por no me dar medio grueso
que coma en la hostería?

MOÑ. Bellaco, ansí lo confieso.

FRAN. ¡O qué gentil cortesía!

MOÑ. ¿Qué creías? 185
¿Que por tus bellaquerías
me han d'echar en costa a mí?

FRAN. Nunca, señor, por las mías
vos la echaron hasta aquí.
¿Queréis ver? 190
La contumacia de ayer,
porque hacéis tal estima,
dígovos que vino a ser
porque no serví a la prima.

Pues, mal grado, 195
¿cornudo y apaleado
por esto queréis que sea,
habiéndome vos mandado
de allá de Plaza Judea?
Si queréis, 200
dos meses que me debéis
me mandad pagar con todo,
y otros mozos hallaréis
que sirvan a vuestro modo.

MOÑ. Ve d' ahí, 205
no lleves algo de mí
que te sea mal partido;
que más he hecho por ti
de lo que tú me has servido.

FRAN. ¿Qué hecistes? 210
¿Unas calzas que me distes?
¡Por mi fe, frescas y bellas!
Dos rëales, y aun bien tristes,
me dio un judío por ellas.

MOÑ. ¡O forfante! 215
¿No te me quitas delante?

FRAN. Paciencia.

GOD. Vete con Dios.

FRAN. Que me place, Dios mediante,
por amor, señor, de vos.

GOD. ¿Cómo va? 220

MOÑ. Muy bien, señor, por allá,
mientra salud no fallece.

GOD. ¿Por qué causa, día ha,
vuestra merced no parece?

MOÑ. ¿Cómo ansí? 225
Nunca vez se va sin mí
a palacio el Cardenal.

GOD. ¡Que parezcáis por aquí!
¿Pues qué? ¿No nos tractan mal?

MOÑ. En fin fin, 230
mientra tiene hombre un carlín
cómelo con quien le place.
GOD. Nunca medre el hi de ruin
que podiendo no lo hace.
MOÑ. Sin dudar. 235
Cuando yo para gastar
no toviesse sólo un pelo,
antes lo iría a hurtar
que venir en el tinelo.
GOD. ¡Qué placer 240
para quien no puede haber
cuanto se deja en la rota!
¿Y es por fuerza menester
visitar esta pañota?
MOÑ. Vino y pan 245
diz que bueno vos lo dan,
y carne siempre a hartura.
GOD. Sé que ellos se guardarán
de hacer tal travesura.
Mas contino 250
dan pan que sepa al molino,
la carne hiede un poquito,
y el agito dan por vino,
y el vino dan por agito.
MOÑ. ¡O gran mal! 255
Y es por cierto ruin señal
si dan los vinos gastados;
que sé yo que al Cardenal
le cuestan buenos ducados.
GOD. ¡Qué favor 260
me haría Monseñor
si me escuchase a la rasa
lo que yo sé del traidor
este su Mastro de casa!
MOÑ. Sí hará. 265
GOD. Yo le diría quizá
del modo que echa por copas.

MOÑ. ¿Vistes qué priesa se da
en mudar mulas y ropas?
GOD. No ha tres años 270
que con los ojos tamaños
en cocina s'iba luego,
donde por falta de paños
no se partía del fuego.
¿Sabéis vos 275
(y hay testigos más de dos,
yo no lo digo con odio)
qu'el bellaco, voto a Dios,
no se hartaba de brodio?
MOÑ. No tenía, 280
y el pobreto padecía
y ayunaba de hora en hora.
GOD. Sí, que entonces no podía
hurtar ansí como agora.
MOÑ. ¿Veis cuál viene? 285
¡Cuán gran trïunfo mantiene!
¡Cuán hinchado en presunción!
GOD. Tanta soberbia no tiene
el Cardenal, su patrón.
Impaciente, 290
sin amor y maldiciente,
tirano de mala gracia,
qu'en cosa no es diligente
sino en daros contumacia.
MOÑ. Bien haréis 295
qu'estas cosas las calléis.
GOD. Andad, que no lo desamo;
pero veo como veis
que da vergüenza a nustramo,
pues ya vemos 300
que a los que poco tenemos
solamente tracta mal,
porque aquéstos no podemos
hablar ansí al Cardenal.
Sus pasiones 305
todas van por aficiones,

si el Cardenal no remedia;
que a unos da tres raciones
y a los otros no da media.

MOÑ. Daca, hermano, 310
que presto saldrá el villano,
que mucho no durará.
Démosle luego una mano,
qu'el Cardenal holgará.

GOD. ¡Palabrillas! 315
Aquí decís maravillas,
y juro a Dios y a esta cruz
no lo veis con cuatro millas
que no le hacéis el buz.

MOÑ. No os admito, 320
porque dais lejos del hito;
que, voto a Dios verdadero,
nunca el bonete me quito
qu'él no lo quita primero.

OSOR. Buenos días, 325
y con sendas calongías
con que todos trïunfemos.

GOD. Sean buenas abadías,
y si no, no las queremos.

OSOR. Perdonad, 330
que a deciros la verdad,
mucho quisiera acertaros.

GOD. Acierte tal voluntad
donde tengáis que curaros.

OSOR. No, señor. 335

MOÑ. Sé que acertase mejor
en aquella su muchacha.

GOD. Diz que sois gran hacedor.

OSOR. ¿Es por eso mala tacha?

GOD. Antes buena. 340
Pero sabed que se suena,
y aun se afirma reciamente,
que la vuestra Madalena

dice que sois impotente.
OSOR. Si, por Dios, 345
ya me ruegan más de dos,
las cuales puedo mostraros.
MOÑ. Callad, pecador de vos,
qu'ésas andan por pelaros.
OSOR. ¡O fortuna! 350
Pues aun vos sabéis de alguna
que la traigo al estricote.
MOÑ. No entráis en casa ninguna
que no os cogen por guillote.
OSOR. ¿Vos lo vistes? 355
MOÑ. Sin lo que vos me dejistes
sé que saben ya en Castilla
que la pensión que vendistes
se la comió Catalnilla.
¡Pecador! 360
A la fe, haréis mejor
de guardar para minutas
y en servir a Monseñor
que andar al rabo de putas.
OSOR. ¡Qué defectos! 365
Otros andan más subjectos
y tras ellas más cuidosos.
GOD. Remedadme a los discretos
y no sigáis los viciosos.
OSOR. Todo es bueno. 370
MOÑ. Es mujer dulce veneno,
cuando es mala mayormente;
y es como el fuego en el seno
y en la halda la serpiente.
OSOR. Salomón, 375
David y el fuerte Sansón
por amar se cautivaron.
MOÑ. ¡O qué donosa razón!
Decidme lo que ganaron:
lo que vos. 380
GOD. Yo salgo contra los dos,
qu'es el medio bien querellas;

pero no nos manda Dios
que nos perdamos por ellas.

OSOR. A mi ver, 385
amando cumple perder
muchas veces los pellejos;
que quien nos manda querer
no nos manda usar consejos.

MOÑ. Los haberes 390
se van tras esos placeres,
y es contra Dios y conciencia.

OSOR. Mientra Dios diere mujeres
conviene que haya paciencia.

GOD. Qu'es razón. 395
Mudemos otra cuestión:
¿Vuestra cosa es expedida?

OSOR. ¿La negra suplicación?
Voto a Dios que no es salida.

MOÑ. Y es temprano. 400

OSOR. Hasta tenella en la mano
me hará cierto mal vientre.

GOD. Pues, rogad a Dios, hermano,
que Juan Vincle no la encuentre.[21]
Y con todo, 405
peligro corre omni modo,
porque me da el pensamiento
que os ha de poner del lodo
la reserva de Sorrento.

OSOR. No he temor, 410
que le soy gran servidor;
y no bastando mi ruego
tengo ahí 'l embajador,
que me habrá un consensu luego.

GOD. ¿Y expedido? 415

OSOR. Sí, que ya me ha requerido
con que, si quiero una capa,

21 Johan Winkler, notario bajo León X, que acumulaba beneficios eclesiásticos en su persona. Parece que Osorio ha pedido un beneficio. La *reserva* que se cita más abajo se refiere a cierta clase de beneficio que no se concedía sin una bula.

y aun si quiero otro partido,
me asentará con el Papa.
MOÑ. ¡Cuál haría, 420
si yo tal brazo tenía!
Yo te juro a Dios, hermano,
no estoviese más un día
con Monseñor de Bacano.
OSOR. No digáis; 425
que Monseñor, si miráis,
será papa sin contrario.
GOD. D'ese modo no os partáis,
que habréis un confesionario.
OSOR. Yo lo fío. 430
Mas de su propio albedrío
un día me ha descubierto
que un astrólogo judío
se lo ha dicho por muy cierto.
GOD. ¿Vistes tal? 435
Veis qu'es regla general
que todos piensan so capa,
'l obispo ser cardenal,
y el cardenal de ser papa.
OSOR. ¿Cómo no? 440
Pues también me pienso yo
ser obispo de mi tierra.
GOD. Pensando ganar, murió
mi padre, yendo a la guerra.
A mi ver, 445
pues qu'el pensar no es saber
ni el soñar es profecía,
demandemos de comer,
qu'es otra mercadería.
MOÑ. Mala gente, 450
que hacen continuamente
que los estéis esperando.
FRAN. El Escalco y otros veinte
s'están ora emborrachando.
MOÑ. ¿Dónde, di? 455

FRAN. Agora agora los vi
en la cámara del Coco.
MOÑ. Señores, venid tras mí,
tomad consejo d'un loco.
GOD. No tardemos. 460
Y aun nuestra parte queremos,
que nos toca de derecho,
o sobr'eso les haremos
que les tenga mal provecho.

JORNADA TERCERA

ESC. Señores, sús, a comer.
Entrad, los que habéis de entrar,
y por hacerme placer,
cada uno en su lugar.
Sús, hermanos, 5
¿qué estáis sin dar aguamanos
con las manos en los senos?

GOD. Comenzad d'acá, villanos;
cada día sabéis menos.

ESC. Veréis vos 10
que ora, por gracia de Dios,
no habrá ningún capellán.

MAT. Allá fuera estaban dos.

GOD. Yo soy medio sacristán.
Si es razón 15
yo diré la bendición,
que la sé desde la cuna.

ESC. Dígase, que en conclusión
será mejor que ninguna.

GOD. Bendigamos 20
al que todos adoramos,
porque nos guarde de mal,
y al que nos da que comamos,
qu'es el señor Cardenal.
Yo bendigo 25
pan y vino, como digo,
y esotros materïales,
y reciamente maldigo
los traidores oficiales.

Lo primero, 30
yo maldigo al Cocinero
que da la menestra flaca,
y después al Despensero
que compra mula por vaca.
Maldiremos, 35
pues que ruin vino bebemos,
al poltrón del Canavario,
y al Escalco, pues que vemos
que nos sangra el ordinario.
Pues, señores, 40
Dios nos mande sus favores
y nos preste sus orejas,
y nos libre de traidores,
de lites y putas viejas.

ESC. ¡O galante! 45
Pasad, señores, delante,
cada uno en su lugar.
MOÑ. Vuestra merced no se espante,
qu'él acá se ha de sentar.
OSOR. Caballero, 50
ya sé que sois vos primero,
hablemos todos seguros;
pero yo soy camarero.
GOD. Andad, que sois extra muros.
OSOR. ¡Voto a Dios! 55
GOD. Escalco, decildo vos
por quitarnos de bollicio.
ESC. ¿Después que reñís los dos
os acordáis del oficio?
GOD. ¡Fantasía! 60
Voto a la Virgen María
que aunque pese a quien le pesa
yo me asiente cada día
en cabecera de mesa.
Que por bien 65
me llevara no sé quién

a ganar en Ponte Sisto,
mas por mal y por desdén,
¡voto a Dios, si fuese Christo! ...
Esc. Por mi amor, 70
sentadvos ora, señor,
que después yo terné modos
y haré que Monseñor
me dé la lista de todos.
Venga el pan. 75
¡Con qué gracia lo darán!
Toma el plato, majadero.
God. Escalco, mal pan nos dan.
Esc. Habeldo con el hornero.
Osor. ¡Qué respuesta! 80
God. Vistes ora qué le cuesta
hablar bien, pues hace mal.
Moñ. Pues éste nos dan por fiesta,
que no suelen darlo tal.
God. Sin canciones, 85
apostemos los capones
que mi mozo ayer me trajo,
qu' el bellaco y sus ladrones
no comen sino pan bajo.
Moñ. ¡Qué dudar! 90
Haréis mejor de callar,
qu'el antepasto nos traen.
Esc. Comenzad allá de dar
de dos en dos, como caen.
Osor. He probado. 95
Parece qu' está salado,
y aun de humo siente un poco.
Moñ. ¡Voto a Dios qu'está ahumado!
Degollado sea el Coco.
God. ¿Qué miráis? 100
A cuantos en tabla estáis
yo os convido en mi posada,
si de hígado me dais
solamente una tajada.
Esc. Rapaz, anda, 105

da vino por esa banda,
haz que tengas discreción.

OSOR. Pues qu' el Escalco lo manda,
bebamos, qu' es gran razón.

FRAN. Ea ¿ya 110
ha de venir por acá?
Que nos morimos de sed.

ESC. Silencio, que ya verná.

FRAN. Bordone vuestra merced.

OSOR. No val nada. 115

MOÑ. ¿Qué decís? ¿Que no os agrada?
No sabéis el bien de coro;
voto a Dios para ensalada
que vale su peso d'oro.

GOD. ¡Pese a tal! 120
Mandemos por un bocal
a la taberna primera.

MOÑ. Catad que cuesta un rëal.

GOD. Cueste un ducado siquiera.

ESC. Por mi amor, 125
no hagáis tanto remor;
por Dios, que me maravillo.

GOD. Escalco, haréis mejor
de prestarnos un famillo.

ESC. ¿Para qué? 130

GOD. Que vaya do yo diré
por quitar una rihierta.

ESC. Perdonad, por vuestra fe,
que no puedo abrir la puerta.

GOD. ¡O gran muerte! 135
Dannos el vino tan fuerte
que no podemos gustallo,
ni quieren, por mala suerte,
qu' el hombre mande a comprallo.

OSOR. ¡Gran villano! 140
Que daría cuanto afano,
sin reservarme una pieza,
por rompelle por mi mano
la baqueta en la cabeza.

MOÑ. Sea ansí. 145
Gobernaos ora por mí
y hayamos todos paciencia,
que no venimos aquí
sino a hacer penitencia.
ESC. Sús, Mathía, 150
las menestras vengan vía.
OSOR. Denm' una que sea grasa.
MOÑ. Yo también me la querría.
ESC. Todas lo son que traspasa.
GOD. Apostar 155
qu' este caldo singular
es agua con yerbecillas
que era puesta a escalentar
para lavar escudillas.
MOÑ. Yo que callo 160
quiero ahora preguntallo:
si el Cardenal esto viese,
si podría comportallo,
por mayor turco que fuese.
GOD. Si eso fuera 165
qu' estas cosas él supiera,
más de dos d' estos villanos
serían hoy en galera
con los remos en las manos.
OSOR. Por honralle 170
no querría suplicalle
sino que en fin me otorgase
que pudiese yo hablalle
cuando a mí se me antojase.
GOD. Es la glosa 175
para decille tal cosa
que no hay quien haga el oficio;
que mejor hace quien osa
demandalle un beneficio.
OSOR. ¿En qué estamos? 180
De todo cuanto hablamos
mucho mejor nos conviene
que una carta le escribamos

	que no sepa dó le viene.	
Esc.	A placer.	185
Pal.	Escalco, si puede ser,	
	ternemos que agradeceros.	
	¿Queréis que entren a beber	
	unos dos palafreneros?	
Esc.	¿Cúyos son?	190
Pal.	Del Cardenal de Cotrón,	
	y aun hombres d' a par del asa.	
Esc.	No tengo tal comisión;	
	que riñe el Mastro de casa.	
Pal.	¡Voto a Dios!	195
	Maravíllome de vos,	
	que sois criado entre buenos.	
	Y por uno ni por dos	
	¿ha de ser ni más ni menos?	
	Pues veamos;	200
	de nosotros cuando vamos	
	cinco o seis algunos días,	
	dondequiera que llegamos	
	nos hacen mil cortesías.	
Esc.	Ya son idos.	205
	No me rompáis los oídos,	
	que no puedo hacer nada.	
Pal.	Pese a tal, que son venidos	
	a hacer una embajada.	
Esc.	Más querría	210
	no sé qué que todavía	
	tractar con palafreneros.	
	¿Cuántos traéis cada día	
	vos y vuestros compañeros?	
Pal.	Mal habláis.	215
	Pero, si bien lo miráis	
	es honra de Monseñor,	
	y lo que vos le robáis,	
	eso digo que es peor.	
Esc.	Sed cortés	220

Isabella d'Este inspiradora del personaje Divina, en la *Comedia Jacinta.* Dibujo de Leonardo de Vinci

Museo del Louvre

En la corte papal de León X, se representaron varias comedias de Torres Naharro. El entonces cardenal Julio de Médicis, protegió especialmente al autor de la *Tinelaria*
León X, Julio de Médicis y Luis de Rossi,
por Rafael

Galería Palatina

una vez, y dos, y tres;
hacedme tanto placer.

Pal. Querría más un tornés
que cuanto podéis hacer.
Pese a tal, 225
¿queréis vos que vuestro mal
por la boca no me salga?
Yo lo diré al Cardenal
la prima vez que cabalga.

Esc. ¡No haya más! 230
Ea, presto, Barrabás,
¿esa carne está partida?
¿Qué haces que no la das?

Osor. Ya debría ser venida.

Esc. Pues ¿holgar? 235
Qu' este vuestro bravear ...

Moñ. ¡Voto a Dios que lo amenaza!

God. Decid ¿queremos mandar
por un cuatrín de mostaza?

Moñ. ¡Qué donoso! 240
El Escalco está gracioso
para hacer cortesía.

God. Pues el otro va sabroso;
veis allá su compañía.

Dec. No cridemos. 245
Escalco, todos tenemos
estos puntos escusados,
que decís que no hacemos
sino traer convidados.
Sed más cuerdo, 250
que lleváis camino izquierdo;
sabéis que sois tan mezquino,
que de vos jamás me acuerdo
haber un piquer de vino.

Esc. Por hablar 255
no me penséis espantar,
aunque vengáis en cuadrilla

y en tinelo a bravear
mientra come la familla.
Hacéis mal; 260
y si hacéis otro tal
en cualquier modo comigo,
yo lo diré al Cardenal
y habréis en fin buen castigo.
¿Quién oyó, 265
y en cuál tinelo se vio,
tractar mal ningún villano
a un escalco como yo
del Cardenal de Bacano?

DEC. No os matéis, 270
que al freír me lo diréis.

ESC. ¿No miráis que m' ha espantado?
Por mi fe, mejor haréis
devengar lo que os han dado.

MOÑ. ¿Puede ser 275
qu' el hombre pueda comer
tan dura carne de vaca?
Dejásenla bien cocer
al menos, pues es bellaca.

GOD. ¡Qué sabrosa! 280
Nunca vi tan mala cosa,
ni vistes, si os acordáis,
una carne maliciosa
que sin comella os hartáis.

MOÑ. Caballero, 285
¿por qué no nos dan carnero
y aun vitela algunos ratos?

ESC. Ya la compra el Despensero,
pero danla a los malatos.

MOÑ. De razón, 290
para su consolación.
¿No los tractan de buena arte?

VIZ. Señora, dicho has patrón
que lo mandas dar el parte.

Esc.	Por Dios, sí;	295
	parece qu' estoy aquí	
	por mozo de cada cual.	
	Dile por amor de mí	
	que la pida al Cardenal.	
Viz.	No has quesido.	300
Esc.	Pues dile lo que has oído.	
	Por mi fe qu' estaba fresco.	
Fran.	Veis, señor, cómo ha escondido	
	de la carne aquel tudesco?	
Tud.	Ego ṅon,	305
	per Deum viuum.[22]	
Esc.	¡Poltrón!	
Miq.	Io hu he vist, seynor, y tot.[23]	
Fran.	En la manga del jubón.	
Tud.	Nite carne, yo, (b)bi Got.[24]	
Fran.	Por mi vida,	310
	so la tabla está caída.	
Esc.	Nunca vi más bella gracia.	
	Veni foras.[25]	
Fran.	¡Cómo crida!	
Esc.	¡Por dos meses contumacia!	
Tud.	Io(b), micer;	315
	ille panem ...[26]	
Esc.	¡Qué placer!	
	Ora riñen las comadres.[27]	
	Muestra acá.	
Miq.	¿Què voleu fer?	
	Que nosaltres no som lladres.[28]	

22 Yo no,
por Dios vivo.

23 Yo lo he visto todo, señor.

24 Carne no, sí, por Dios. [*Yo* etc. *ja.*]

25 Vete fuera.

26 Sí, señor;
ese pan...

27 Ahora se descubre la verdad.

28 ¿Qué queréis hacer?
Cuidado que no somos ladrones.

ESC. Voto a Dios, 320
pues ¿qu' es esto?
MIQ. Veulo vos.[29]
ESC. ¿Agora ninguno habla?
¡Contumacia a todos dos!
Salid por sota la tabla.

GOD. O, Mathía, 325
danos vino todavía.
ESC. ¿Qué estas la mano en el seno?
MOÑ. D' esto hacen carestía,
¿qué harían de lo bueno?
OSOR. Ora ved, 330
que aunqu' estéis muerto de sed
la vista quita la gana.
GOD. Un cuchillo, por merced;
partamos esta manzana.
MOÑ. De buen grado. 335
Hombre sois de buen recado,
siempre venís proveído.
OSOR. Más estimo este bocado
que todo cuanto he comido.
GOD. ¡Mundo avaro! 340
Mathía, ternéte a caro
si me das d' aquel que ensancha.
MAT. ¿De lo qué?
GOD. Del vino claro.
MAT. Como me distes la mancha ...
MOÑ. Con licencia, 345
que tengo d'ir al audiencia.
Señor Escalco, ¿saldré?
ESC. Habed un poco paciencia,
que a todos os la daré.
MOÑ. Puede ser 350
que no os harán un placer
aunque la tierra se hunda.

29 Vedlo vos.

PAL. Señor, ¿podemos comer?
ESC. Esperad a la segunda.
¿Esa puerta 355
ha d' estar contino abierta?
¿No aprovecha cuanto digo?
GOD. Señores, todo hombre alerta,
que no las trae consigo.
MOÑ. ¡Qué poltrón! 360
¡Cómo cobró presunción
desque mudó la pelleja!
GOD. Aquí se hace un león,
y en la calle es un oveja.
OSOR. Todo tiene. 365

* * *

GOD. El Mastro de casa viene.
ESC. Lleva, mozo, los saleros.
MOÑ. Par Dios, callar nos conviene,
pues conocemos sus fieros.
OSOR. Sed discreto, 370
catad que hablan secreto.
MOÑ. Que les mande Dios mal año.
GOD. Aosadas, pues, yo 's prometo
que ningún bien del compaño...
MOÑ. ¿Apostar 375
que nos mandan cabalgar?
Y porné la vida yo
que vamos a acompañar
a su puta que hoy murió.
OSOR. ¡Dios os valga! 380
De la boca no vos salga.

ESC. A todos, domini mei:
a las veinte se cabalga.[30]
No faltéis, amore Dei.

30 Cuatro horas antes de puesto el sol montamos a caballo [véase *Soldadesca*, n. 35].

GOD. Pues veamos, 385
¿no será bien que sepamos
dó se va, porque se crea?
ESC. A acompañar diz que vamos
'l Embajador de Guinea.
GOD. ¿No es pagano? 390
ESC. Sí, mas viene a ser cristiano.
GOD. Pues ¿quién lo baptizará?
ESC. Ya tiene el Papa antemano
un doctor. que lo hará.
GOD. Bien harán. 395
ESC. Alto, mozo; lleva el pan.
FRAN. Los ojos tengas llevados.
ESC. ¿Quién ha sido aquel galán?
¿Uno d' estos ahorcados?
FRAN. No, señor. 400
ESC. Por amor ni por temor
niguno no se castiga.
FRAN. Que maten como a traidor
a quien no le da una higa.
ESC. Ven camino. 405
Sús, Mathía, lleva el vino.
FRAN. Esta sí qu' es mala nueva;
mal le dé Dios de contino.
MAT. ¿Hay ninguno que más beba?
GOD. No, pariente; 410
mas hay bien quien se arrepiente
del ruin vino que ha bebido.
MOÑ. Yo sí, quiero un lavandiente.
ESC. Señores, pues ... mas me olvido:
que enojado 415
Monseñor, hoy me a mandado
y ha me dicho por su boca,
que todos, de grado en grado,
hagáis la guardia que os toca.
Quien pecare, 420
la primera vez que faltare
que un mes no coma bocado;
a segunda, si mandare,

lo haremos licenciado.
GOD. ¡Voto a Dios! 425
Siempre dejáis más de dos
que en lista no los ponéis.
ESC. Haced lo que os toca a vos;
del resto no's empachéis.
GOD. ¿Cómo no? 430
¡La puta que los parió!
¿Con qué se vienen aquí?
¿Son más hidalgos que yo,
o hijos del gran Sofí?
Mas usáis 435
que con los tales calláis,
que falten un mes ni ciento,
y a los otros acusáis
como faltan un momento.
ESC. ¿Qué habéis hoy? 440
Al menos a vos no os doy
empacho ni desplacer;
pues yo y vos, señor Godoy,
amigos solemos ser.
GOD. Sí, en verdad; 445
mas no impide el amistad
que hombre diga lo que siente.
Vos sabéis que la igualdad
la loan Dios y la gente.
ESC. ¿Y entre nos 450
habéis visto menos vos?
GOD. No más de aquello que hablo,
que unos son hijos de Dios
y los otros del dïablo.
ESC. Pese a tal, 455
déos a vos el Cardenal
de casa la maestría.
GOD. No le iría d'ello mal,
mas yo no la aceptaría.
ESC. ¡Qué decir! 460
Catad qu'es gran presumir,
y se lo vería un ciego.

GOD. Ansí no puedo vivir.
¿Queréis que viva entr'el fuego?
MOÑ. Bien mirado, 465
de semejante cuidado
bien es qu'el hombre se guarde.
GOD. Ya Monseñor me ha rogado.
ESC. Sús, proficiat, qu'es muy tarde.
¡Gran afán 470
no haber hoy un capellán!
MOÑ. Nunca Dios lo deje haber.
ESC. Otra vez se hallarán
más que habremos menester.
MOÑ. Sin pasión; 475
yo diré mi bendición,
qu'es breve y muy compendiosa.
ESC. Que tiene mucha razón.
GOD. A nos toca hoy esta cosa.
MOÑ. Bendigamos 480
al buen tiempo que nos damos
en torno a Campo de Flor,
y a lo poco que pensamos
en servir a Monseñor.
Por lo cual 485
bendigo al Sancto Natal,
que dan la torta tan ancha;
maldigo al ruin oficial
porque demanda la mancha.
Con amor 490
bendigo a aquel auditor
que dio sentencia por mí;
maldigo con gran dolor
la propina que le di.
Y adelante, 495
bendigo a Mastre Bramante
que a Sant Pedro comenzó; [31]
maldigo aquella vacante

[31] Bramante, el gran arquitecto que dirigió la construcción de San Pedro en 1500-1514.

que aquel traidor me llevó.
En fin fin, 500
bendigo a Mastre Pasquín[32]
que se aparta d'este afán;
maldigo solo el cuatrín
que en mi bolsa hallarán.
Buena gente, 505
aquel Dios omnipotente
nos haga sus herederos,
y nos dé continamente
salud, y paz y dineros.

ESC. Voto a Dios, 510
bien andovistes los dos.

MOÑ. Sabed que somos Mendozas.

GOD. ¿Dónde iremos?

MOÑ. Veldo vos.

GOD. A ver dos pares de mozas.

32 Pasquín era, a lo que parece, un sastre de Roma en cuya tienda se reunían los maliciosos y chismosos. Su apellido fue asociado con los libelos y sátiras que se escribían y se colocaban en cierta estatua. Estas *pasquinate* también se publicaban en forma de libros.

JORNADA QUARTA

DESP. Ya no es cosa de sofrir
una vida tan penada.
¡Que no se pueda vivir
con este Mastro de nada!
No hay paciencia 5
con hombre tan sin prudencia,
que quiere siempre de hecho
cargarme a mí la conciencia
y llevars' él el provecho.
Yo me muero. 10
¡Pobre de mí, despensero
diez años o más pasados,
que no me hallo en dinero
un centenar de ducados!
¿Qué he ganado? 15
Unas casas que he labrado,
y en ropa poca cuantía,
que debiera haber comprado
una buena escriptoría.
Y a placer 20
hoy pudiera yo tener
mil ducados en la mano.
¿Qué falta pueden hacer
al Cardenal de Bacano?
Pero pase; 25
que si el dïablo holgase,
yo estaría como un papa.

O traidor, si no jugase,
¡cuánto valdría mi capa!

* * *

MAST. Comprador 30
o Despensero Mayor,
¿qué piensas ora contigo?
¿De sisar a Monseñor
y de no partir comigo?
DESP. Yo querría 35
que con otra cortesía
burlase del mal vestido,
pues que vuestra señoría
siempre fue de mí servido.
MAST. Sí, por Dios. 40
Don ladrón, ¿no sabéis vos
que ordenamos juntamente
que, hurtando todos dos,
se partiese hermanamente?
DESP. Ansí es. 45
MAST. Pues ¿por qué, di, descortés,
me haces ora esta afrenta,
que sabes que ha más d' un mes
que de nada me das cuenta?
DESP. No hay de qué. 50
MAST. ¿Cómo no? Pues ya yo sé
que fueron cuatro mercados,
do ganaste, en buena fe,
cuatro pares de ducados.
DESP. Antes no, 55
qu' el presente me estorbó. [33]
MAST. Por mi fe, bien adevinas.
Sólo un mercado quedó
que no compraste gallinas.
Si has mirado, 60
los otros tres has gozado

[33] El *presente* acaso se refiere al Escalco que está en la sala.

lo que tu mejor sabrás;
y en huevos siempre has ganado
lo que sabes, y algo más.

DESP. ¡Qué contar! 65
¿Pues no solemos quedar,
por mejor henchir la tripa,
que hurtemos a la par,
yo en Mercado, vos en Ripa? [34]

MAST. Verdad es; 70
mas para partir después
como amigos, sin engaño.

DESP. Más ganáis vos en un mes
que yo no gano en un año.

MAST. No lo digo. 75
Y aun eso gano contigo
por ponerte yo a mi mesa:
quieres ser igual comigo
en ganancia y no en expesa.

DESP. Bien sabéis, 80
la renta que vos tenéis
vos quita d'ese cuidado,
y hoy o mañana ternéis
a cuestas un obispado.

MAST. No haya más. 85
Dame cuenta, si querrás,
y salgamos de pendencia;
si no, ya sabes, verás
que te puedo dar licencia.

DESP. Todavía 90
yo haré mi cortesía,
por bien que caro me cueste,
en que a vuestra señoría
quiero dar para una veste.

MAST. No sé nada; 95
más hurtas en la ensalada,
que la coges por corrales,
y cuentas cada vegada

[34] La *Ripa* era un distrito de mala fama, donde había huertos.

por lo menos dos rëales.
DESP. Por no estar 100
en que nos oigan gritar
por una cosa civil,
digo que le quiero dar
para una mula gentil.

OSOR. ¡A, señor! 105
MAST. ¿Qué manda?
OSOR. Que por mi amor,
pues veis qu'es tanta razón,
me hagáis tanto favor
que más no duerma en mesón.
MAST. Sé deciros 110
que procuro de serviros;
pero dudo, lo primero,
que no queráis reduciros
a estar con un compañero.
OSOR. ¡Buen recado! 115
No estaría acompañado
si fuese hijo de Dios.
MAST. El Cardenal me ha mandado
que os ponga de dos en dos.
OSOR. Muy bien es. 120
Y aun estar de tres en tres
algunas veces se hace;
pero vos de descortés
ponéis solo a quien os place.
MAST. Hasta aquí 125
no pueden mentir de mí
que haya hecho cosa mal,
que a quien yo pongo por sí
me lo manda el Cardenal.
OSOR. Muy bien anda; 130
pero yo sé en una banda
donde están solos un tracto,[35]

35 El sentido es "Pero yo sé un lado [del edificio] donde están solos desde hace tiempo". Osorio quiere una habitación sin compañero.

qu' el Cardenal no lo manda,
ni ellos valen mi zapato.

MAST. Si mandáis, 135
por vuestra fe, no os metáis
en un paso tan estrecho:
que queráis, que no queráis,
yo lo hago, y es bien hecho.

OSOR. Dios lo quiere. 140
Pero si el hombre no muere
sin que más priesa le den,
lo que un día yo hiciere
será bien hecho también.

MAST. ¿Cómo, qué? 145
¿Pensáis que me espantaré
porque vos me amenacéis?
Hacedme, por vuestra fe,
lo peor que vos podréis.

OSOR. Vuestro vicio 150
vos hará tan mal servicio
que perdáis la presunción;
qu' el Cardenal da el oficio,
pero no la discreción.
Do se ataja 155
que quien sin orden trabaja,
sus afanes poco duran,
y con el tiempo y la paja
los peruétanos maduran.
Y aun confío, 160
según el jüicio mío,
que no duran tiempos largos
ni las casas cab' el río,
ni ruines hombres en cargos.

MAST. No curéis, 165
que yo os haré que habléis
con más seso y menos yerro.

OSOR. Por mi fe, mejor haréis
de rebozaros un perro.

MAST. Bien está. 170

MOÑ. ¿Qué se hace por acá?
MAST. Pasar la vida en canciones.
MOÑ. Vuestra merced mandará
que le diga dos razones.
MAST. Y aun doscientas. 175
MOÑ. Que busquemos grandes rentas,
seremos grandes señores.
MAST. Dejemos ora esas cuentas,
no queramos ser mayores.
MOÑ. Ende mal. 180
¿Por qué no soy cardenal?
Que sabría bien, aosadas,
tan bien como cada cual,
dar aquellas cabezadas.
MAST. Los ducados, 185
beneficios y obispados,
es bueno saberlos dar;
que las bestias y ganados
se saben cabecear.
MOÑ. Haga el cielo, 190
que de todo me do un pelo.
Mas ¿cuándo, pese al dïablo,
verná mi mozo en tinelo
y mi caballo al establo?
MAST. Si queremos, 195
creo que presto daremos
para el caballo remedio;
mas del mozo no podemos
aceptaros sino medio.
MOÑ. ¡Qué razón 200
para tan sabio varón
cansado de bien regir!
¿Y es mi mozo algún melón,
que lo tenéis de partir?
MAST. No haya fieros, 205
porque no es de caballeros
desdorarse con ninguno.
Veis que pobres escuderos
harto tienen dos en uno.

MOÑ. A mi ver, 210
no pueden juntos comer
dos caballos rifadores;
y aun diz que no puede ser
servir uno a dos señores.
MAST. Bien se alcanza. 215
Pero pónese en balanza
quien hace de otra manera,
qu' el que pone nueva usanza
muchos jüicios espera.
Por lo cual, 220
siendo usanza vieja y tal,
cualquier bueno se conorte;
que no quiere el Cardenal
perjudicar a la corte.
MOÑ. ¿Qué sería? 225
Como un ruin antes ponía
ruin usanza, cual se suena,
¿por qué no se arriscaría
un bueno a ponerla buena?

* * *

GOD. ¿En qué estáis? 230
Pues, si comigo habláis,
aosadas que poco os dañe.
MAST. Bien dice, si le escucháis;
qu' el que las sabe las tañe.
GOD. Id con Dios. 235
¿Queréis saber ora vos
esta usanza tan bien hecha?
Pues, no salga de los dos.
MOÑ. ¿Qué? ¿Nos daña?
GOD. Ni aprovecha.
MOÑ. Pues callar. 240
GOD. Señor, habéis de notar
que entre dos, por orden cierta,
un mozo se suele dar
y una cámara disierta.

Mas ternéis 245
que si en tinelo coméis
es una vida muy sana,
vuestro antepasto ternéis
tres días en la semana.
Y ansí es 250
que faltaros de los tres
ya se hace y es posible,
mas pagároslo después,
esto os doy por imposible.
Pues continos 255
vuestros huevos perosinos
sábado y viernes os dan,
y a las veces mallorquinos,
mirad cuán frescos vernán;
y adobados, 260
a veces encorazados
con sus pollos y otras cosas,
a veces desesperados
en fritadas maliciosas.

MOÑ. Es de oír. 265
¿Qué cosa dan a sentir
estas malditas fritadas?

GOD. Hermano, quieren decir
que frías te sean dadas.
Día alguno 270
que sea día de ayuno,
como suele ser mandado,
no darán un pece a uno
si Dios lloviese pescado.
Y esas veces 275
los oficiales jüeces,
cuidosos del alma ajena,
dan por hombre cuatro nueces
en escambio de la cena.
Tal jornada 280
se tienen su cierta entrada
de los huevos que sabéis,
porque en cualquiera fritada

tres buenos pasan por seis.
MOÑ. ¡Gran dolor! 285
GOD. Cada día Monseñor
paga un carlín que nos toca,
y el Mayordomo traidor
nos quita medio por boca.
MOÑ. Pues no os pene. 290
De vos saber me conviene
tinelo de dónde mana.
GOD. Del tintinábulo viene,
que quiere decir campana.
Y os discierno 295
qu' es tinelo suegra y yerno
donde nunca falta engaño,
y es semejanza de infierno,
cuaresma de todo el año.
Sé de ciencia 300
qu' es una larga dolencia
para quien mal se gobierna,
y un lugar de penitencia,
y un traslado de taberna.
Y es, al menos, 305
do no henchimos los senos
ni tampoco vamos flacos,
un enemigo de buenos
y un trïunfo de bellacos.
MOÑ. Bien está. 310
Pero ruin usanza va,
y al señor no es gran ganancia,
que a ningún bueno se da
sino entre dos una estancia.
GOD. Es porque 315
fue hecha cuando yo sé
que eran tiempos razonables,
y la usanza buena fue
siendo nosotros amables.
Mas hoy día 320
reina tanta fantasía
por los hombres, según veo,

que hay hombre que no cabría
ni aun en todo el Coliseo.

MOÑ. Gran verdad. 325
Por mi fe, vuestra bondad
muchos bienes me refiere.
Yo quiero vuestra amistad
mientra que en Roma estoviere.
Holgaremos 330
y juntos nos estaremos,
que entre nos no habrá cizaña;
que un muy buen mozo ternemos
que lo traigo desde España,
muy fïado, 335
aunque no es muy avisado;
pero bien nos servirá.

GOD. ¿Fresco viene? ¡Mal pecado!
Algún bisoño será.

MOÑ. Helo allí. 340

GOD. Llegadvos un poco aquí.
¡O, qué fresco y qué temprano!
Cobridvos, no estéis ansí.
¿Dónde bueno sois, hermano?

MAN. De Castilla. 345

GOD. No sería maravilla.
Mas ¿qué tierra es vuestra madre?

MAN. Cuatro leguas de Sevilla,
d' allí dond' era mi padre.

GOD. Mas codicio 350
que me digáis ¿cuál indicio
vos hizo venir a Roma?

MAN. Vengo por un beneficio
que me dé que vista y coma.

GOD. Bien será. 355
Pero ¿quién os lo dará?
Que trabajos se requieren.

MAN. El Papa diz que los da
a todos cuantos los quieren.

GOD. Con favor 360
habréis en Campo de Flor
un par de canonicatos.
MAN. Mía fe, no vengo, señor,
a buscar canes ni gatos.
GOD. Con razón. 365
Queriendo, Papa León
vos puede sacar de mal,
y aun con un sancto bastón
haceros un cardenal.
MAN. Gran pracer. 370
MOÑ. ¿Y no lo sabrías ser?
MAN. A la fe que resabría.
GOD. ¿De qué manera?
MAN. En comer
más de diez veces al día.
MOÑ. Por tu vida, 375
¿qué sería tu comida?
MAN. Mucha carne con mostaza,
y a cada pascua frolida
una gorda gallinaza.
MOÑ. ¿Qué os parece? 380
GOD. Qu'es hombre que lo merece,
y era en él bien empleado,
y cualquier bien se le ofrece.
Mas es algo desdichado.
MAN. ¿Dó lo veis? 385
GOD. Cómo, ¿vos no conocéis
que tenéis grandes orejas?
MAN. ¿En qué más?
GOD. En que tenéis
la desdicha en esas cejas.
MAN. Por probar 390
¿no se podría quitar
sin qu' el hombre peligrase?
GOD. Queriéndolo vos pagar,
enantes que un credo pase.
MOÑ. Haced vos; 395
que por servicio de Dios

es gran razón que se haga.
GOD. Sírvanos bien a los dos,
que, en fin, no quiero otra paga.
MAN. Que me prace. 400
GOD. Ved aquí cómo se hace;
pero no habéis de mostrallo.
MAN. ¿Qué me hace, ni deshace?
Yo sabré, señor, callallo.
GOD. Estad quedo. 405
MAN. Pasito.
GOD. Que no hayas miedo.
MAN. ¡Ay, ay, ay!
GOD. ¡O Dios, qué enojo!
MAN. No marró, par Dios, un dedo
que no me ha quebrado el ojo.
GOD. Pues, hermano, 410
como sales, a esta mano,
do verás cierta calcina,
entra, y luego saldrás sano;
qu' es en la sancta cantina.
MAN. ¡Dios le plega 415
con el que a 'sta tierra llega,
y an con quien en ella está!
¡Qué dïabro! a la bodega
le llaman cantina acá.
¡Gente extraña! 420
Y a la perra dicen caña,
y a muchos hombres cotales,
y a los azumbres d'España
les llaman acá bocales.
GOD. Bien notó. 425
MAN. Pues más sé.
GOD. Sépalo yo.
¿Quién dïablo te lo enseña?
MAN. Sé micer sí, micer no,
y el cáncaro que te veña.

TROM. Caballeros, 430
somos cinco trompeteros;
decidnos ora y veamos
quién nos dará estos dineros
de la mancha que esperamos.
MOÑ. Claro está 435
qu' el Mayordomo los da.
Nuestro amo a él os envía.
TROM. Desde Navidad acá
nos trae de día en día.
MOÑ. ¿De verdad? 440
Pues a estotra Navidad
quiera Dios que haya cumplido,
y ojalá os dé la mitad
de lo que le es cometido.
TROM. ¿D' ésos es? 445
Quejarnos hemos después
y publicarse han sus modos.
MOÑ. Más hay quejosos de tres,
y el Cardenal más que todos.
TROM. ¿Puede ser? 450
GOD. Pues yo soy de parecer
que nos vamos en buen hora,
que deben querer comer
los oficiales ahora.

JORNADA QUINTA

ESC.	¡Ora Dios sea loado!	
	Si la afección no me engaña,	
	yo soy el más desdichado	
	que jamás vino d' España.	
	¿No me entiendo?	5
	Toda mi vida serviendo	
	y pobre ansí como ansí,	
	parece que van huyendo	
	los beneficios de mí.	
	¡Gran afán!	10
	¿Y no me proveerán	
	a lo menos d' una ermita?	
	Pero como me la dan,	
	luego el otro resucita.	
	Sé decir	15
	que quien quisiere vivir	
	hágame dar su vacante;	
	que aunque esté para morir	
	yo salgo qu' él se levante.	
MAT.	Vos lo erráis.	20
	Nunca nada demandáis,	
	de flojedad os perdéis.	
	Catad, si no importunáis,	
	que al hospital moriréis.	
ESC.	O Mathía,	25
	que de la ruin suerte mía	
	pocos hombres hoy se hallan,	
	y asaz piden noche y día	
	los que bien sirven y callan.	

MAT. Ya se ofrece; 30
pero, por cuanto acontece
que acierta quien bien se entabla,
calabaza me parece
la cabeza que no habla.

ESC. Sin dudar. 35
Continamente callar
sería bestial locura;
pero debes de notar
lo que a mí se me figura.
¡Pese a tal! 40
Entiende, simple animal,
pongo caso semejante:
que diesen al Cardenal
de tu tierra tal vacante;
si él la diese 45
al primero que veniese
¿no te parece que yerra?
Bien sería que supiese
quién somos de aquella tierra.
Si esto mide, 50
hará que Dios no lo olvide,
socorriendo a quien padece,
porque a veces quien lo pide
es quien menos lo merece.
D' uno en uno 55
cualquier ruin es importuno,
diligente en demandar,
y aun si no muere ninguno,
ensayan de lo matar.
Mas los buenos, 60
de pura vergüenza llenos,
padecen de dos en dos,
y consuélanse a lo menos
qu'estarán mejor con Dios.

MAT. Eso apruebo. 65

* * *

CAN. Caballero, ¿qué hay de nuevo?
ESC. Compañero, que comamos.
CAN. Ya yo hago lo que debo,
que traigo bien que bebamos.
ESC. Yo he placer; 70
traigan luego de comer.
Siempre fuiste largo y franco.
Pero dime, bachiller,
¿son los mozos tinto y blanco?
CAN. ¡Y aun qué tal! 75
Sant Martín y aun Madrigal
son con éstos desechados.
D' esto bebe el Cardenal
cuando tiene convidados.
ESC. ¡O gran cepa! 80
¡Bendito el cuerpo do quepa
un licor tan escogido!
Mas quieres que bien me sepa,
dame el piquer favorido.
CAN. Helo aquí. 85
ESC. ¿Acordástete de mí?
CAN. ¿No me había de acordar?
ESC. Acuérdese Dios de ti.
MAT. Señores, sús, a sentar.
ESC. Bien está. 90
Hermano, pásate allá.
Mathía, ve por el pan,
y diles que vengan ya
Barrabás y Mastre Juan.
MAT. Ecce homo. 95
ESC. Sús, camina, pies de plomo.
BAR. No os matéis, que tiempo habremos.
ESC. ¿Qu'es aquesto? ¿Cómo, cómo?
¿Caolada y todo tenemos?
BAR. ¡Y aun qué tal! 100
ESC. Pues, decilde al Cardenal
que se burle del compaño.
BAR. Mas catad que cada cual
saque el vientre de mal año.

ESC. ¡Sús, galanes! 105
Pasa d' allá, Metreianes,
y Barrabás, tú el segundo;
descontemos los afanes
que pasamos por el mundo.
Tú, Mathía, 110
echa vino todavía,
nunca pares y anda alerta.
Sobre todo, yo querría
que a nadie abrieses la puerta.
¿Ves quién es? 115
Asienta quedo los pies.
BAR. Debe ser algún villano.
CAN. ¡Cuánta gente hay descortés!
MAT. Señor, el Arcedïano.
ESC. Deja estar. 120
Hártese bien de llamar,
pues que tan tarde es venido.
BAR. Hoy lo haréis ayunar.
CAN. Ábranle, que no ha comido.
ESC. ¿Cómo no? 125
¡La puta que lo parió!
BAR. Mas mi padre por la pierna.
ESC. Más renta tiene que yo;
cerca tiene la taberna.
BAR. ¡Qué consuelo! 130
La presunción por el cielo,
la prudencia so los pies.
ESC. Si un día pierde el tinelo,
terná que llorar un mes.
BAR. No es de abrir; 135
porqu'es hombre, sé decir,
tan miserable y tan ruin
que se dejará morir
por no gastar un cuatrín.
ESC. ¡Gran varón! 140
No pierde congregación,
siempre cabalga con gracia.
BAR. No por servir al patrón

mas por huir contumacia.

ESC. ¿Sabéis quién 145
me parece hombre de bien?
Su compañero, el Abad.

BAR. Por un carlín que me den
diré yo aquí la verdad.

ESC. Dila, hermano. 150

BAR. El cardenal Surïano
por necio lo despidió.

ESC. Pues Monseñor Egipciano[36]
¿cómo así lo recibió?

BAR. No sé nada. 155
Con una veste prestada
al dïablo engañaría.

CAN. Voto a Dios que fue alquilada;
yo la vi en la Judería.

ESC. No lo dudo. 160

BAR. Pues el sayón de velludo,
¿camino fue de la capa?

CAN. Es d' un mancebo barbudo,
palafrenero del Papa.

ESC. Pues yo salgo 165
que le pueden dañar algo
semejantes embarazos.

BAR. ¿No veis vos que de hidalgo
se va cayendo a pedazos?

ESC. Cierto. Hoy día 170
hay hombres de fantasía
que piensan ser de los godos,
y que está la hidalguía
en sentarse sobre todos.

MET. Ge sé bien 175
que mosiur no mange rien.[37]

ESC. Yo poca hambre tenía,
pero del vino me den.

[36] Cardenales difíciles de identificar si no son títulos imaginarios; aunque los oyentes acaso conocían a los aludidos.

[37] MET. Yo sé bien
que el señor no come nada.

BAR. Dale allí presto, Mathía.
ESC. D' éste, hermano, 180
y ande así de mano en mano.
BAR. Cuando yo, de sed me muero.
ESC. Yo, que nací más temprano,
rompo mi lanza primero.
CAN. Bien está. 185
Venga luego por acá,
muramos valientemente.
ESC. Trich. [38]
CAN. Esguaz.
BAR. Acaba ya,
que quiero mi lavadiente.
MET. ¡Notra Dama [39] 190
vus ete!
ESC. Va, ves quién llama;
mira por entre las puertas.
CAN. Debe ser Mossén Retama,
qu'éstas son sus horas ciertas.
ESC. Puede ser; 195
pero más nos va en comer.
Di que no está acá su madre.
BAR. A mí me toca beber
por el alma de su padre.
MAT. ¿Sabéis quién? 200
Es aquel hombre de bien
del bonete colorado.
ESC. Mal obispado me den
si vos no habéis acertado.
BAR. No entre acá. 205
MAT. ¿Veis que llama?
ESC. Cansará.
¡Qué negros escuderotes!
CAN. A la taberna se irá
a empeñar sus chamelotes.

38 ESC. Trinca.
CAN. Bebe.

39 MET. Nuestra Señora
os ayude.

ESC. ¿Viste, hermano, 210
qué seso de viejo anciano
para tener un gobierno?
¡Chamelotes en verano,
chamelotes en invierno!

BAR. Sí, señor, 215
porque ellos del gran calor
lo guardaron el estío,
y él ora, buen pagador,
los guarda a ellos del frío.
Qu' el cruel 220
muere tras una Isabel,
por quien arde y anda ciego,
y el chamelote cab' él
es estar cerca del fuego.

ESC. ¡O cuitados, 225
de beneficios cargados!
Que les veniese la peste
si le faltan diez ducados
para hacerse una veste.

CAN. Yo os prometo 230
que pobreza es gran defeto
para ser el hombre franco.

ESC. No tiene más el pobreto
de mil ducados en banco.

BAR. Mil azotes, 235
y alzados los chamelotes,
y por Roma a mediodía.

ESC. Por tu fe, hermano, que notes
el trasegar de Mathía.

BAR. Sí, sí, sí. 240

MET. Balle un petí, mon ami.[40]

CAN. Rebido.

BAR. Yo hago el resto.

ESC. Pues acuérdate de mí.

CAN. Danos a todos, y presto.

BAR. No paremos; 245

40 Dame un poco, amigo mío.

que según desenvolvemos,
la mona tenemos cierta.

ESC. Par Dios, peligro corremos
de no acertar con la puerta.

BAR. ¡O traidor! 250
¡Qué vida tan a sabor
ternía yo de partido
siendo papa Monseñor,
yo cardenal favorido!

ESC. ¿Qué decís? 255
Yo, el pobreto Agustín Guis.[41]

MAT. A la fe, pues yo, Datario.

MET. Moy, Gran Metre de París.[42]

CAN. Pues yo, morir Canavario.

ESC. Bien pediste; 260
y por eso que dejiste
bebe, sús, que no hay tal cosa.

CAN. Tú, Señor, me redemiste
por la tu sangre preciosa;
no soy digno 265
de beber agua sin vino
por amor qu' es de la fragua;
mas por tu verbo divino
beberé vino sin agua.

BAR. ¿Latinaris?[43] 270
Calicem, pues, salutaris,
yo espero veros el cabo;
y porque estis singularis
nomen Domini invocabo.

ESC. Hidesruines, 275

41 Agostino Chigi (Chisi, Ghisi), uno de los banqueros más ricos de Italia. En la línea siguiente el *Datario* se refiere al encargado de la *Dataria apostólica*, Silvio Passerini, quien repartía los beneficios de la Cancillería. Passerini siempre alcanzaba beneficios para sí.

42 MET. Yo, Gran Maestro de París.

43 BAR. ¿Hablas latín?
Cáliz, pues, salud,
yo espero veros el fondo;
y porque sois único
el nombre del Señor invocaré.

	¿comenzáis por los latines?	
	Estén q̃uedas las pestañas.	
CAN.	Catad aquí dos cuatrines,	
	y embialdos por castañas.	
ESC.	¡Buena cuenta!	280
	Y entrarán aquí cincuenta,	
	y echarnos han a perder.	
BAR.	Sernos hía gran afrenta;	
	gástese todo en beber.	
ESC.	Sús, Mathía,	285
	estas cosas vayan vía.	
	Deja el vino y lleva el pan.	
CAN.	¿Queréis, por galantería,	
	que bebamos d' aütán?	
ESC.	¡A las manos,	290
	sin los bonetes, hermanos!	
CAN.	Pues venga de mano en mano.	
ESC.	Alcemos los brazos sanos.	
CAN.	¡Viva!	
ESC.	¡Bacano, Bacano!	
BAR.	¡Voto a Dios!	295
	Escalco, yo 's bebo a vos.	
ESC.	Esperad, ora corramos.	
CAN.	¡Buenos andan estos dos!	
	Pero dad acá veamos.	
MET.	Mon ami,[44]	300
	ge bib a vus.	
CON.	¡Guay de mí!	
	¡Qué recio competidor!	
ESC.	Voto a Dios que hasta aquí	
	todos ganamos honor.	
CAN.	¿Qué os parece?	305
MAT.	Sús, señores, que anochece.	
ESC.	Corre, enciende una candela.	
MAT.	El Cardenal lo merece,	
	pero no hay quien d'él se duela.	

44 Amigo mío,
yo bebọ a ti.

CAN. ¡O Mathía! 310
Ma ... tu ... tía, si es de día,
e cuando ...
MAT. ¿Cantáis a palmas?
CAN. Sús, cantemos, compañía.
MAT. Pater noster por sus almas.
CAN. Ti bel pé.[45] 315
MAT. Buenos andan, a la fe.
CAN. ¡Coraro!
MAT. No cantan mal.
CAN. Fratelo mio caro, oymè.
MAT. Esta es música papal.
CAN. Et infra ... 320
MAT. Adelante pasará.
CAN. Et infra labriel el mazo.[46]
MAT. Señores, qu' es tarde ya,
dad por dado el baquetazo.
Barrabás, 325
dos palabras y no más:
justemos, si te pluguiere.
BAR. A todo me hallarás.
Pero tenme si cayere.
MAT. Alza 'l dedo. 330
BAR. No te muevas.
MAT. No hayas miedo.
BAR. Par Dios, aína le diera.
MAT. ¡Escalco, sús!
ESC. Está quedo.
MAT. Noranbuena si cayera.
Canavario, 335
alto, vos, por ordinario.
CAN. Tente fuerte.
MAT. Ven.
CAN. Errélo.
MAT. ¿Mon ami?

[45] Estas palabras del Canavario no tienen sentido. No parecen ser italianas; si la línea se atribuye a Metreianes, podría ser una expresión en francés algo como " 'tite belle p...".
[46] Tal vez frases de la misa de maitines.

MET. Alon.[47]
MAT. ¡Cosario!
Ya está el uno por el suelo.
¡O cuitados! 340
¡Qué bonitos y arrimados!
¡Cómo mantienen la tela!
¿Cuál de vos más estirados
me apagará esta candela?
BAR. Barrabás. 345
Mas ¿a cuántos me la das,
por tu fe, hermano Mathía?
MAT. A cuatro soplos no más.
Va un bocal de malvasía.
BAR. Ido va. 350
MAT. ¡Tente, vino!
BAR. Pues contá.
MAT. Ésta es ella, si no miento.
¡Orza! ¡Orza!
BAR. Dos son ya.
MAT. ¡Buen vïaje y salvamento!
BAR. ¿Cuántos son? 355
MAT. Los tres. ¿Te quedan aún?
BAR. El bocal me llevo d' éste.
MAT. Dios lo quiera, Sant Antón,
et in terra doy con éste.
¡Caballeros, 360
socorred los compañeros,
daldes las manos con todo!
ESC. ¿Dónd' están?
MAT. Ahí fronteros.
¡Válaos Dios, poneos del lodo!
¡Sancta María, 365
ora pro eos![48]
ESC. Mathía,
ayúdame a levantar.
MAT. Daca la mano, sús, vía,

47 Vamos.
48 reza por ellos.

comencemos a danzar.
¡Alto, vos! 370
Asidos de dos en dos,
o todos cuatro en sartales,
y viva la fe de Dios.
O valientes oficiales,
¡por aquí, 375
por acá, cuerpo de mí!
No la cargamos hogaño.
Cardenal, pobre de ti,
poco honor y mucho daño.

¿Veis, señores? 380
De aquéstos hay mil traidores,
si queréis poner las mentes,
que gastan vuestros honores;
y vosotros, inocentes.
Honra y vida 385
vos la mande Dios cumplida,
con renta que satisfaga.
La Tinelaria es fornida:
valete, y buena pro os haga.

COMEDIA HIMENEA

PERSONAS

HIMENEO	*caballero*
MARQUÉS	*hermano de Febea*
FEBEA	*doncella noble*
DORESTA	*criada de Febea*
BOREAS	*criado de Himeneo*
ELISO	*criado de Himeneo*
TURPEDIO	*criado del Marqués*
CANTORES	

Calle de una ciudad

INTROITO Y ARGUMENTO

Mía fe, cuanto a lo primero,
yo's recalco un Dios mantenga
más recio que una saeta,
y por amor del apero,
la revellada muy luenga 5
y la mortal zapateta.
¡Ahuera, ahuera pesares!
¡Sús d' aquí, tirrias amargas!
Vengan praceres a cargas
y regocijos a pares; 10
qu' el placer
más engorda qu' el comer.
Y an qu' esta noche garrida,
de los hombres y mujeres
quien menos huelga, más yerra; 15
sono que, juri a la vida,
s' han de buscar los praceres
hasta sacallos so tierra.
Yo, que más de dos arrobas
engordé los otros días, 20
mientra que en alcamonías
m'anduve empreñando bobas,
más d' un año
huý garañón del rebaño.
Caséme dend' a poquito; 25
mi mujer lugo parió
'n aquellotra Navidad
un dïabro de hijito
que del hora que nació

todo semeja al Abad. 30
Harto, soncas, gano en ello;
que sabrá por maraviella
repicar la pistoliella
y antonar el davangello.
Tras d' aquéste 35
quiero her un acipreste.
¿No sabés en quién quijera
hacer dos pares de hijos,
que me lo da el corazón?
En Juana la jabonera 40
que me haz mil regocijos.
Cuando le mezo el jabón,
pellízcame con antojo,
húrgame allá no sé dónde,
sale después que se asconde, 45
y échame agraz en el ojo.
Ni an le abonda,
son que cro que va cachonda.
Por la fe de Sant' Olalla,
que la quiero abarrancar 50
si la cojo alguna vez.
Quizá si el hombre la halla,
podrá sin mucho afanar
matalle la cachondez.
Es un dïabro bulrrona, 55
peor que gallina crueca:
papigorda, rabiseca,
la carita d' una mona.
Y en beber
no nació mayor mujer; 60
con sus pies llenos de barro
nunca pára ni sosiega
trasegando de contino.
No bendice sono al jarro,
ni cree so en la bodega, 65
ni an adora sono al vino.
Saben ya grandes y chicos

con qué fe se desternilla;
que a la hostia no se humilla
y al cález da de hocicos. 70
¡Gran devota
de la pasión de una bota!
Comenzó nuestra querencia
de la mitá del verano,
que guardaba los viñales. 75
Yo la vi, su percudencia,
con una honda en la mano,
que ojeaba los pardales.
A la fe, dola al dïabro;
yo me llego para allá. 80
¿Qué diré? Mas ¿qué dirá?
Yo me aburro y os le habro.
Digo: Hermana,
¿has venido esta mañana?
La boba dizme en llegando 85
(que dio la vuelta corriendo
más redonda que un jostrado):
¡Tirte, tirte allá, Herrando,
y al dïabro t' encomiendo,
que toda m' has espantado! 90
Échole mano del brazo,
y ella a mí del cabezón;
y en aquesta devisión
estovimos un pedazo
sin al ora 95
que se cayó la traidora;
y al dar de la bellacada
llévame rezio tras sí,
que no pude sostenella.
Mía fe, yo no me doy nada, 100
sino que al cuerpo de mí
déjom' ir encima d' ella,
tomo a la hija del puto
y abajéle el ventrijón,
que la hice, en concrusión, 105
regoldar por el cañuto.

Dio un tronido
que atronó todo el ejido.
No penséis 'n esta materia
qu'el hombre no resudaba 110
la gotaza sin remedio;
que, para Santa Quiteria,
la boca me salluzaba,
y el moco de palmo y medio.
No vistes mayor hazaña: 115
qu'el mozo perdió la habra,
y an la moza, pies de cabra,
que no mecía pestaña.
Dende acrás
quijo Dios y no hu más. 120
No me vee desde allí,
que con pracer anfenito
no se mea la camisa;
yo también, que, juri a mí,
como la miro un poquito 125
todo me meo de risa.
Perdonay mi proceder,
si habro más que conviene;
qu' es loco quien seso tiene
noche de tanto pracer. 130
¡Puto sea
el más cuerdo del aldea!
Y aunque vergüenza traía
de meter mis sucios pies
en un tan limpio lugar, 135
soprico a la compañía
perdone, pues que ansí es,
lo que se puede emendar.
Que si cayeron en mengua
mis groseros pies villanos, 140
ayudalles han las manos,
como a las manos la lengua,
por un modo
que el ingenio supla todo.
Mas porque, según yo veo, 145

querréis saber la verdad
de todo mi pensamiento,
acá m' arroja el deseo,
mándame la voluntad,
guíame el conocimiento, 150
tráeme vuestro valer,
dame voces vuestra fama.
Vuestra grandeza me llama;
no puedo menos hacer
de venir 155
do debo y quiero servir.
Cuando ninguno dijere
que me trae acá la sed
del gran haber que codicio,
pesemos lo que sirviere; 160
que no quiero más merced
de cuanto pesa el servicio.
Y aun si veo solamente
que agradecéis el cuidado,
desde ahora, muy de grado, 165
vos hago d'él un presente;
que más es
la gloria que el interés.
No penséis, aunque esto diga,
que el servicio es tan perfecto 170
como todas las bondades;
que es un poco de fatiga
sacada del intelecto
y envuelta en mil liviandades.
No es comedia de risadas, 175
pero la que es, esa sea.
Intitúlase Himenea,
pártese en cinco jornadas.
Soy contento
de os decir el argumento. 180

Notaréis que en sus amores
Himeneo, un caballero,

gentil hombre natural,
traía dos servidores:
un Boreas, lisonjero, 185
y un otro, Eliso, leal.
Himeneo noche y día
penaba por una dama,
la cual Febea se llama,
que en llamas de amor ardía. 190
Tiene aquésta
una criada, Doresta.
Febea, aquesta doncella,
tiene un hermano, marqués,
que entendía la conseja, 195
el cual procura por ella
desque sabe el entremés
que Himeneo la festeja.
Buscando el Marqués remedio
para podellos coger, 200
suele consigo traer
un paje suyo, Turpedio.
Y es osado,
muy discreto y bien criado.
Perseverando Himeneo 205
con músicas y alboradas
en el amor de Febea,
el Marqués con gran deseo
de acortalle las pisadas
como aquel que honor desea, 210
y cuando no se cataron,
con el hurto los tomó;
sino que él se le escapó
porque los pies le ayudaron.
Huye y calla; 215
torna con gente a salvalla;
de manera que tornando,
para de hecho salvar
a su señora y su dama,
hallóla a ella llorando, 220

que él la quería matar
por dalle vida a su fama.
Súpose tan bien valer,
que de allí parten casados,
y entr' ellos y sus criados 225
se toma mucho placer;
por tal arte,
que alcanzaréis vuestra parte.

JORNADA PRIMERA

HIM.	Guarde Dios, señora mía, vuestra graciosa presencia, mi sola felicidad, aunque es sobrada osadía sin tomar vuestra licencia daros yo mi libertad. Pero en mi primer miraros tan ciego de amor me vi, que cuando miré por mí fue tarde para hablaros hasta agora que de mí sois ya señora. Habéisme muerto de amores y dejáisme aquí en la plaza donde publique mis yerros, como aquellos cazadores que desque matan la caza la dejan para los perros. Dondequiera que me halle diré siempre que es mal hecho, pues yo vos guardo en mi pecho, vos me dejáis en la calle. Bien me viene que sin culpa muera y pene.	 5 10 15 20
BOR.	¿Aun agora comenzamos, y tantos duelos tenemos?	25
HIM.	¿Qué hablas allá, villano?	
BOR.	Digo, señor, que nos vamos, que mañana tornaremos,	

	y quizá con mejor mano.	30
HIM.	Mas vame por la vihuela;	
	quizá diré una canción	
	tan envuelta en mi pasión	
	que todo el mundo se duela,	
	sino aquella	35
	que dolor no cabe en ella.	
BOR.	No podrás, señor, tañer,	
	porque le falta la prima	
	y están las voces gastadas.	
HIM.	No cures, hazla traer,	40
	que el dolor que me lastima	
	las tiene bien concertadas.	
BOR.	Aunque te sepa enojar,	
	haremos bien de nos ir.	
HIM.	¿Y es tiempo d' ir a dormir?	45
BOR.	Y aun ora de levantar.	
HIM.	Calla, loco,	
	que en mis males sabes poco.	
BOR.	Sepas que estás en error,	
	si tan grosero me hallas	50
	como tú me certificas;	
	pues de cierto sé, señor,	
	que con la pena que callas	
	es nada cuanto publicas.	
	Y si mueres por tal dama,	55
	tienes muy justa querella;	
	pues otros mueren sin vella	
	que se ahogan en su fama	
	con decir	
	que es la vida bien morir.	60
ELI.	Dile d' eso y medraremos.	
HIM.	¿Qué hablas allá entre dientes,	
	almacén de negligencia?	
ELI.	Que presto lo llevaremos	
	con los otros inocentes	65
	a la Casa de Valencia. [1]	

1 Valencia poseía uno de los asilos más antiguos y famosos para locos. *Inocentes*, en el verso anterior, significa *locos*.

HIM. No medre quien te vistió.[2]
¿Y a quién tienes de llevar?
Tú de mí debes hablar.
ELI. Vos lo decís, que no yo. 70
HIM. ¡O borracho,
mal criado y sin empacho!
ELI. Mas, señor, pues que ansí es,
tu Señoría provea
que ninguno aquí te halle, 75
porque su hermano, el Marqués,
de la señora Febea
visita mucho esta calle,
trae muy buenos criados,
y tú los tienes mejores. 80
(Reniega de los amores,
no vamos descalabrados.)
HIM. Yo me quedo;
váyase quien les ha miedo.
ELI. Si quieres, señor, probar 85
cuánto miedo les tenemos
y saber cuánto nos tienen,
anda, vete a reposar;
nosotros nos quedaremos
a respondelles si vienen. 90
HIM. Pues catad qu' estéis velando,
porque vernán más de dos.
ELI. Vengan diez, cuerpo de Dios,
que no se irán alabando.
BOR. Ya viniesen, 95
con tal que no nos huyesen.
HIM. Mientra que no os enojaren
no los corráis por ahora,
que sería inconviniente;
sino que, si bravearen, 100

2 Se refiere al amo de Eliso, a causa de las libreas y vestidos usados que los amos solían regalar a sus criados. Véanse Jornada, II, vv. 196-199.

por amor de mi señora
los espantéis solamente.

* * *

ELI. Ve con Dios, deja hacer,
que del lodo te pornemos.
BOR. Habla paso, y acordemos 105
lo que más es menester.
HIM. ¡Digo, Eliso!
Haz que estéis sobre el aviso.
ELI. Muy modorro sois, amigo,
porque yo me sé guardar 110
de los peligros mundanos.
BOR. A la fe que estás comigo.
Hagamos, por nos salvar,
como dos buenos hermanos;
huygamos d' esta congoja 115
y apartémosnos del mal;
que, a la fe, todo lo ál
es andar de mula coja.
ELI. Pues sabrás
que agora te quiero más. 120
BOR. Bien tengo que te decir
d' una cierta amiga mía
que se deshace por mí;
pero, por no te mentir,
yo tengo en la fantasía 125
que no estamos bien aquí.
ELI. Pues no temamos, par Dios,
aunque en tus cosas hablemos;
que si nada sentiremos,
bien corremos todos dos. 130
BOR. No sé nada;
mas ¿si la calle es tomada?
ELI. No temas, aunque eso sea;
que por las casas caídas [3]

[3] Edificios derribados para construir barrios nuevos en Roma, que se quedaron en ruinas por mucho tiempo.

nos iremos con la luna, 135
y sin que nadie nos vea
salvaremos nuestras vidas,
y sin deshonra ninguna.

BOR. Voto a Dios que has dicho bien
y que alabo tu razón. 140
Pero mira aquel cantón,
que parece no sé quién.

ELI. Ven seguro,
que era la sombra del muro.

BOR. Mira bien a cada parte. 145

ELI. Ya lo tengo bien mirado,
y es ansí como te digo.

BOR. Pues de mí puedo jurarte
que no me había quedado
gota de sangre comigo. 150

ELI. Pierde ahora esos temores
si no has perdido el correr,
y hazme tanto placer
que me cuentes tus amores
mientra vemos 155
que partir no nos debemos.

BOR. Pues que, hermano, tu deseo
mis cosas saber desea,
la verdad d' ellas es ésta:
cuando nuestro amo, Himeneo, 160
se enamoró de Febea,
yo de su sierva Doresta;
y es tan hermosa doncella,
tanto gentil criatura,
que su ama en hermosura 165
puede bien vivir con ella.
Mas es tal
que la juzgan sin igual.

ELI. ¿Hasle hablado algún día?
¿Cómo sabes que te quiere? 170
Guarda no pises abrojos.

BOR. Sin hablalle juraría
que por verme pena y muere,

si no me mienten los ojos.
ELI. Yo no creo a enamorada 175
que me quiera bien jamás,
si como Santo Tomás
no le toco en la lanzada.
BOR. Yo confío
que es su querer cual el mío. 180
ELI. ¿Y no has leído aquel texto,
que maldito debe ser
hombre que en hombre se fía?
Pues si verdad es aquesto,
quien se fïase en mujer 185
muy más maldito sería.
A la fe, para gozallas
y no perderse tras ellas,
oíllas y no creellas,
sacudillas y dejallas. 190
No lo digo
porque les soy enemigo.
BOR. Mucho tienes de grosero.
Bien parece, Eliso hermano,
que aun no te conoce amor; 195
que pensarías primero
que no está más en su mano
del verdadero amador.
Porque aquél que pena y muere,
si bien ama y es ansí, 200
no puede hacer de sí
sino lo que amor quisiere
desque dio
su libertad a quien vio.
Por ende no hables más 205
en juzgar vidas ajenas,
pues das a muchos molestia;
que si no quieres, querrás,
y penarás si no penas,
y caerás de tu bestia. 210
Pornás en amor tu fe
y alabarás sus fatigas,

por mucho que agora digas
d' esta agua no beberé;
que por damas 215
honramos vidas y famas.

ELI. Boreas, hermano mío,
recia cosa es la razón
contra lenguas desarmadas;
y dicen que es desvarío 220
dar coces al aguijón
y a la carreta pernadas.
Acuerda, si nos iremos,
que será bien que nos vamos,
y también que proveamos 225
en buscar que almorzaremos.

BOR. Nunca he gana
de almorzar por la mañana.

TUR. ¿Quién va allá? ¿Jugáis de pies?
Tornad un poco, galanes, 230
y llevaréis que contar.

MARQ. ¡Turpedio!

TUR. Señor.

MARQ. ¿Quién es?

TUR. No sé cuántos rufianes
que andaban a capear.

MARQ. Mas ¿si los has conocido? 235
Guarda no fuese Himeneo.

TUR. Par Dios, señor, no lo creo,
porque no hobieran huido.

MARQ. Antes, cierto,
huye de ser descubierto. 240

TUR. Puede ser; mas aquí viene
cada noche y cada día
con músicas y alboradas.

MARQ. Si esa presunción él tiene,
¡voto a la Virgen María 245
yo le ataje las pisadas!

TUR. Déjalo, señor, hacer,

que es usanza del palacio,
y es un modo de solacio
festejar y dar placer, 250
y un deporte
sin el cual no hay buena corte.

MARQ. Bien me place el festejar,
mas no en mi casa, par Dios,
la verdad ora hablando; 255
porque tras d' este cantar
yo sé bien que más de dos
se quedan después llorando.

TUR. Bien siento dó van tus flechas.
No temas, aunque eso sea, 260
que la señora Febea
no es d' esas que tú sospechas.
¡Qué doncella
para burlarse con ella!

MARQ. Tocaremos a la puerta 265
por ver qué hace, siquiera;
no nos vamos sin hablalle.

TUR. No estará, señor, dispierta;
sería cosa grosera
dar voces ora en la calle. 270

MARQ. Pues ¿dónde iremos ahora?

TUR. Vamos por la Sillería,
que presto será de día
y abrirá aquella señora,
y aun haremos 275
que nos dará que almorcemos.

MARQ. No nos debemos partir,
que a esta hora suelen dar
las músicas y alboradas;
y si aquél ha de venir, 280
no puede mucho tardar.
Oigamos sus badajadas.

TUR. Sí, que no vienen campanas [4]
en las músicas que ordenan.

MARQ. Vernán badajos que suenan 285
maitines por las mañanas.
TUR. Sin mentir
por nos se puede decir,
porque ha diez horas, señor,
que andamos por la ciudad 290
sonando como badajos,
y cogemos poco honor,
a decirte la verdad,
de aquestos vanos trabajos.
Bien es un poco, por ende, 295
pasear sobre la cena,
y es usanza justa y buena,
para mancebos, se entiende;
lo demás
va muy fuera de compás. 300
MARQ. Pues yo te diré qué sea:
vámosnos ora a dormir
lo que queda hasta el día.
Quédese con Dios Febea;
mañana podré venir 305
a tentar su fantasía.
Dame un poco ese laúd,
iré tañendo quequiera.
Forsa aquella escopetera
que querrá hacer virtud.[5] 310
TUR. Sí hará,
aunque en ella nunca está.

5 Acaso hacer el favor de dar el desayuno a los dos. Puede referirse a la amiga del Marqués, mencionada arriba en los vv. 274-276, que abrirá a los dos para darles algo de comer.

JORNADA SEGUNDA

BOR.	¿No hay nadie?	
HIM.	Habla callando.	
	Mira que tengo sospecha	
	que aún están por ahí.	
BOR.	Yo los vi, señor, cantando	
	por esta calle derecha,	5
	buen rato lejos de aquí.	
HIM.	Pues sús, buen ora es aquésta	
	si no duermen mis amores.	
	Haz llegar esos cantores	
	y demos tras nuestra fiesta.	10
ELI.	Aquí vienen.	
HIM.	Llámalos, que se detienen.	
ELI.	Caminad. ¿Qué estáis parados?	
HIM.	Callando, ¡cuerpo de Dios!	
	¿Qué voces son ora aquéstas?	15
ELI.	Pues si los tengo llamados	
	una vez y más de dos.	
	¿Helos de traer a cuestas?	
HIM.	No corrompas mis placeres.	
	Por tu fe que nos oigamos;	20
	aquí sólo no riñamos,	
	y en casa cuanto quisieres.	
CANT.	¿Qué haremos?	
HIM.	Señores, que comencemos.	
CANT.	Acaba con esos trastes.	25
CANT.	Calla, pues, tú, majadero.	
CANT.	¡Cómo sobras de cortés!	
CANT.	¿Diremos lo que ordenastes?	

HIM. Sí, bien: la canción primero,
y el villancico después. 30
Pero yo os ruego, por tanto,
que vaya la cosa tal,
que se descubra mi mal
en vuestras voces y canto.
Por ventura 35
se aliviará mi tristura.

Canción

Tan ufano está el querer
con cuantos males padece,
que el corazón se enloquece
de placer 40
con tan justo padecer.

La pena con que fatigo
es de mí tan favorida,
que, de envidiosa, la vida
ya no quiere estar comigo. 45

Ella se quiere perder;
vuestra merced lo merece,
y el corazón se enloquece
de placer
con tan justo padecer. 50

Villancico

Es más preciosa ventura
vuestra pena
que cualquiera gloria ajena.

La pena que vos causáis,
los sospiros y el tormento, 55
con vuestro merecimiento

todo lo glorificáis.
Más codiciosa dejáis
vuestra pena
que cualquiera gloria ajena. 60

Los que nunca os conocieron
penarán por conoceros;
y los que gozan de veros,
porque más antes no os vieron.
Que por mayor bien tovieron 65
vuestra pena
que cualquiera gloria ajena.

HIM. No más, señores, ahora;
dejemos para otro día.
Poco y bueno es lo que place. 70
También porque esta señora
se paró a la gelosía;
quiero saber lo que hace.

CANT. Vamos.

CANT. Vamos.

HIM. Id con Dios.

BOR. ¡Ce, señor, buen tiempo tienes! 75

HIM. ¡O mayor bien de los bienes!
¿Es mi bien?

FEB. Mas ¿quién sois vos?

HIM. Quien no fuese,
ni más un hora viviese.

FEB. No os entiendo, caballero. 80
Si merced queréis hacerme,
más claro habéis de hablarme.

HIM. Y aun con eso sólo muero,
que no queréis entenderme,
sino entender en matarme. 85

FEB. Cómo 's llamáis os demando.

HIM. Por las llamas que me dais,
del fuego que me causáis

lo podéis ir trasladando.
FEB. Gentil hombre, 90
quiero saber vuestro nombre.
HIM. Soy el que, en veros, me veo
devoto, para adoraros,
contrito, para quereros.
Soy aquel triste Himeneo 95
que, si no espero gozaros,
no quisiera conoceros.
Porque en ser desconocida
me matáis con pena fuerte,
sabiendo que de mi muerte 100
no podéis ser bien servida.
Pero sea,
pues por vos tan bien se emplea.
FEB. Bien me podéis perdonar,
que, cierto, no os conocía. 105
HIM. ¿Porque estoy en vuestro olvido?
FEB. En otro mejor lugar
os tengo yo todavía,
aunque pierdo en el partido.
HIM. Yo gano tanto cuidado 110
que jamás pienso perdello,
sino que con merecello
me parece estar pagado,
pues padezco
menos mal d' el que merezco. 115
FEB. Gran compasión y dolor
he de ver tanto quejaros,
aunque me place de oíros;
y por mi vida, señor,
querría poder sanaros 120
por tener en que serviros.
HIM. Ojalá pluguiese a Dios
que queráis como podéis,
porque mis males sanéis,
que esperan a sola vos. 125
FEB. Dios quisiese
que en mí tal gracia cupiese.

HIM. Ésa y todas juntamente
caben en vuestra bondad,
pues os hizo Dios tan bella; 130
pero d' ésta solamente
tengo yo necesidad,
aunque soy indigno d' ella.

FEB. Más merecéis que pedís,
aunque lo que es no lo sé; 135
mas de grado lo haré
si puedo como decís;
pero he miedo
que sin dañarme no puedo.

HIM. Pláceme, señora mía, 140
que me habéis bien entendido.
No os quiero más detener;
vuestra misma fantasía
vos dirá que lo que pido
lo compra bien mi querer. 145
Y las mercedes pesadas
que con fatiga se hacen
son las que alegran y placen
y las que son estimadas;
de las cuales 150
todas las vuestras son tales.

FEB. Pues si puedo complaceros,
aclaradme en qué manera,
porque tengáis cosa cierta.

HIM. Que cuando viniere a veros 155
en la noche venidera,
me mandéis abrir la puerta.

FEB. ¡Dios me guarde!

HIM. ¿Qué, señora?
¿Revocáisme ya el favor?

FEB. Sí, porque no me es honor 160
abrir la puerta a tal hora.

HIM. No son ésas
vuestras pasadas promesas.

FEB. Pues ¿cómo queréis que os abra?
Que en aquellos tiempos tales 165

los hombres sois descorteses.
HIM. Señora, no tal palabra.
Si queréis sanar mis males,
no busquéis esos reveses.
Ya sabéis que mis pasiones 170
no me mandan enojaros,
y no debéis escusaros
con escusadas razones,
de tal suerte
que me causáis nueva muerte. 175
FEB. No puedo más resistir
a la guerra que me dais,
ni quiero que me la deis.
Si concertáis de venir,
yo haré lo que mandáis, 180
siendo vos el que debéis.
HIM. Debo ser siervo y cautivo
de vuestro merecimiento,
y ansí me parto contento
con la merced que recibo. 185
FEB. Id con Dios.
HIM. Señora, quede con vos.

BOR. Señor, pues has conseguido
la merced que deseaste,
tan conforme a tu querer, 190
cúmplenos lo prometido,
pues sabes que nos mandaste
las albricias del placer.
HIM. Hermanos, de muy buen grado,
que es razón en todo caso. 195
Toma tú el sayón de raso,
y tú el jubón de brocado,
que otro día
yo os daré mayor valía.
BOR. Dios haya de ti memoria 200
y acreciente tu vivir
con honra y fama sin par,

y te dé tanta vitoria
que no tengas que pedir,
pues no te falta que dar. 205

ELI. Yo no quiero tus brocados,
ni consiento, ni es honesto
que quedes tú descompuesto [6]
por componer tus criados.
Ten cordura, 210
que tu largueza es locura.

BOR. Bien dices.

HIM. No quiero yo
sino daros esto y más.

ELI. No queremos un cabello.

HIM. ¿Por qué?

ELI. Señor, porque no; 215
sino que lo que nos das
te debes honrar con ello.

HIM. Pues callad, hermanos míos;
sed los que sois por entero,
que yo os daré, si no muero, 220
más que ropas y atavíos;
que el amor
es de hermano y no señor.

ELI. Por eso, señor, tomamos
la voluntad por el hecho 225
de tu mucha cortesía;
mas si quieres que nos vamos,
sernos ha mayor provecho,
porque se hace de día.
Esta tarde tornaremos 230
yo y Boreas paseando,
para ver disimulando
con qué esperanza vernemos.

HIM. Ansí sea.
Quede Dios con mi Febea. 235

6 Himeneo se quita el sayo y el jubón allí mismo.

TUR. Ce, señor, ¿oyes qué digo?
Veslos allá do han pasado,
que ahora parten de aquí.
MARQ. Pese al dïablo comigo
porque nos hemos tardado, 240
que no se fueran ansí.
TUR. Déjalos, señor, andar.
Tu Señoría no pene,
porque la noche que viene
no nos pueden escapar; 245
que haremos
de modo que los tomemos.
MARQ. ¿Cómo se podrá hacer
que si yo la noche vengo
pueda ver toda la fiesta? 250
Porque aunque sepa perder
la persona y cuanto tengo,
yo sabré qué cosa es ésta.
Y aun si lo tomo con ella,
prometo a Dios verdadero, 255
y a fe de buen caballero,
de matar a él y a ella;
que la vida
por la fama es bien perdida.
TUR. Pues, señor, en conclusión, 260
a vos no 's cumple venir
antes de ser prevenidos;
y detrás de aquel cantón
estaremos a sentir
sin que seamos sentidos; 265
y de allí, si estás alerta,
lo podrás ver bien entrar,
y ansí podemos saltar
para tomalle la puerta.
Lo demás 270
se hará como querrás.
MARQ. Pues luego bueno sería,
sin que más aquí tardemos,
que nos vamos a comer

y que durmamos el día, 275
pues la noche velaremos
como será menester.
Y aun venir acompañados
nos será cosa muy sana.
Quizá vernemos por lana, 280
no tornemos tresquilados;
y por ende
vengamos como se entiende.

TUR. Antes, señor, te prometo
que con ayuda de Dios 285
tú y yo podemos bastar;
y también porque el secreto,
después que sale de dos,
es una cosa vulgar.
Pues si no recibes pena, 290
solos nos cumple venir,
porque no des a sentir
si tu hermana es mala o buena.
Ten buen seso,
que su honra está en tu peso. 295

MARQ. Y aun por eso yo procuro
que aunque venga acompañado
me la pague todavía.

TUR. D' aqueso yo te aseguro
que ningún enamorado 300
se pagó de compañía.
Y cuando bien la trajere,
traerá sus dos criados,
que de sombras de tejados
hüirá cual más pudiere. 305

MARQ. Ya se alcanza
hasta dó llega su lanza.

TUR. Pues, señor, no nos curemos
ni de sus armas temamos,
pues que no son Anibales. 310
Vengamos como debemos,
que nosotros dos bastamos
para cuatro lanzas tales.

MARQ. Bien me consejas, por cierto;
yo me confío de ti. 315
Pero vámosnos de aquí,
no sientan nuestro concierto;
que en consejas
las paredes han orejas.

JORNADA TERCERA

BOR. Pues, Eliso, hermano mío,
no te quiero ser muy luengo,
ni sé si te enojarás;
mas con lo que en ti confío
y el gran amor que te tengo 5
te diré lo que oirás.
Por eso no te receles,
que los buenos servidores
han de ser a sus señores
muy leales y fïeles; 10
mas no tanto
que se pongan del quebranto.
Bien te debes acordar
desde ayer, a lo que creo,
nota bien lo que diré, 15
que no quesiste tomar
lo que te daba Himeneo,
ni yo por ti lo tomé.
Ni me hagas entender
que aquélla fue lealtad, 20
que es la mayor necedad
que nunca te vi hacer,
pues perdiste
lo que en diez años serviste.

ELI. No tengas a maravilla 25
si no quise a dos por tres[7]
lo que nuestro amo nos dio;

7 Es decir, "Si no quise en seguida".

que cierto tengo mancilla
de verle, para quien es,
más pobre que tú ni yo. 30
Si cuando rico se viere
no se acordare de nos,
allá contará con Dios
cuando d' este mundo fuere.
Pues vivamos, 35
que no falta que vistamos.

BOR. No das en todo el terrero,
ni por ahí te me escapas,
ni tienes razón ninguna;
porque es un necio grosero 40
quien puede tener dos capas
y se contenta con una.
Pues si toca a los criados
de la pobreza del amo,
rico se llama y le llamo 45
quien puede haber mil ducados,
como veo
que le sobran a Himeneo.
Y pues me haces hablar
y de tus cosas me espanto, 50
siendo discreto y sabido
debrías considerar
que no nos puede dar tanto
como le habemos servido.
Y a quien le roba y le sisa 55
cuanto le viene en soslayo
le da la capa y el sayo
hasta quedarse en camisa.
Porque veas
do tus servicios empleas. 60

ELI. Boreas, según que veo,
no busques otro señor,
porque hablas con enojo;
que por ruin que es Himeneo,
si hallas otro mejor 65
yo quiero perder un ojo.

Todos hacen padecer
los servidores leales
y van a ser liberales
con quien no lo ha menester. 70
Dan entradas
a quien no tiene quijadas.

BOR. Y aun porque son tan tiranos
que de nuestro largo afán
se retienen la moneda, 75
debemos con dambas manos
recebir lo que nos dan
y aun pedir lo que les queda.
Lo que somos obligados
es servir cuanto podemos, 80
y también que trabajemos
en que seamos pagados.
De otra suerte
nuestra vida es nuestra muerte.

ELI. Hermano, bien te he entendido; 85
por lo cual a tu mandado
me ternás continuamente,
y aun que tengo por perdido
todo el tiempo que he dejado
de te ser muy obediente. 90
Y pues ya tan claras son
mi mentira y tu verdad,
confieso mi necedad
y alabo tu discreción,
y de hoy más 95
yo haré lo que verás.

BOR. Mucho huelgo, hermano Eliso,
pues que repruebas el mal
como de buenos se espera.
Vivamos sobre el aviso, 100
que sin duda el hospital
a la vejez nos espera.
Por lo cual te cumple, hermano,
que sin vergüenza ni miedo
cuando te dieren el dedo 105

que abarques toda la mano.
Haz, si puedes,
que puedas hacer mercedes.

ELI. Hermano, deja hacer,
que no quiero más laceria — 110
de la que tengo pasada.
Y aun si recibes placer,
dejemos esta materia
porque está bien disputada.
Buen tiempo se nos ofrece, — 115
y es cosa justa y honesta;
hablemos a tu Doresta,
que a la ventana parece.

BOR. Ya la veo,
y es cumplido mi deseo. — 120

ELI. Pues anda, vele a hablar.
Yo quedaré d' esta parte
y escucharé desde aquí,
que me conviene notar
cómo sabes requebrarte, — 125
para que aprenda de ti.

BOR. No te burles, aunque callo,
ni me tengas por grosero,
que en manos está el pandero
de quien bien sabrá sonallo. — 130

ELI. Ve callando,
que ya nos está mirando.

BOR. Doresta, señora mía,
guarde Dios vuestra beldad
y vuestra gentil manera. — 135

DOR. Si no por la compañía,
yo os hablara de verdad
de modo que no os pluguiera.

BOR. ¿Por qué, señora Doresta?

DOR. Porque no me motejéis; — 140
que si otra vez lo hacéis
no 's placerá la respuesta.

Que aunque fea
no tengo invidia a Febea.

BOR. Señora, no 's deis fatiga 145
por yo decir una cosa
que dirá cualquier que os viere.

DOR. Boreas ¿queréis que os diga?
Cual me veis, fea o hermosa,
tal no falta quien me quiere. 150

BOR. Pluguiera, señora, a Dios,
en aquel punto que os vi,
que quisiera tanto a mí
como luego quise a vos.

DOR. ¡Bueno es eso! 155
A otro can con ese hueso.

BOR. Ensayad vos de mandarme
cuanto yo podré hacer,
pues os deseo servir,
siquiera porque en probarme 160
conozcáis si mi querer
concierta con mi decir.

DOR. Si mis ganas fuesen ciertas
de quereros yo mandar,
quizá de vuestro hablar 165
saldrían menos ofertas.

BOR. Si miráis,
señora, mal me tractáis.

DOR. ¿Cómo puedo mal trataros
con palabras tan honestas 170
y por tan corteses mañas?

BOR. ¿Cómo ya no oso hablaros?
Que tenéis ciertas respuestas
que lastiman las entrañas.

DOR. Por mi fe, tengo mancilla 175
de veros ansí mortal.
¿Moriréis de aquese mal?

BOR. No sería maravilla.

DOR. Pues, galán,
ya las toman do las dan. 180

BOR. Por mi fe que holgaría

si como otros mis iguales
pudiese dar y tomar;
mas veo, señora mía,
que recibo dos mil males 185
y ninguno puedo dar.

DOR. ¿Qué sabéis vos si los dais,
aunque no se da a entender?
¿Cómo vos soleis hacer,
que sin dolor os quejáis? 190

BOR. Plega a Dios
que mi pena pene a vos.

DOR. Vos andáis tras que publique
lo que está mejor secreto
para mi fama y la vuestra; 195
pues, sin que más os suplique,
no queráis, pues sois discreto,
que haga tan loca muestra.

BOR. No os quiero más deservir,
pues algo pienso entenderos; 200
y terné que agradeceros
si me mandardes venir
hora cierta,
que no me neguéis la puerta.

DOR. Tal cosa no me mandéis, 205
que modo ninguno veo
de poder hacerlo ansí.

BOR. Esta noche, si queréis,
cuando abriréis a Himeneo,
me podéis abrir a mí. 210

DOR. Mejor vivan ella y él.
Por eso perded cuidado,
que mi ama ha concertado
que ninguno entre con él.

BOR. Pues haced 215
que me cumpláis la merced.

ELI. ¿Ha de ser para mañana?
Vámonos, que eres prolijo.

BOR. ¿Consentís, señora, vos?

DOR. Señor, sí, de buena gana, 220

pues que aquel señor lo dijo.
Id con la gracia de Dios.

BOR. Y en la vuestra quede yo
para mi consolación.

DOR. Estad de buen corazón, 225
que Dios por todos murió.

BOR. Pues, señora,
vos quedad mucho en buen hora.

ELI. Boreas, nunca creyera
que tanto bien alcanzabas 230
en este penado oficio,
si por mis ojos no viera,
cuando a Doresta hablabas,
cuánto queda a tu servicio.

BOR. Vámosnos, no nos tardemos, 235
que nuestro amo está esperando.

ELI. Bien podemos ir hablando,
que harto tiempo tenemos.

BOR. Pues si escuchas
te diré otras cosas muchas. 240

* * *

TUR. Beso las manos, señora
de mis secretos, por tanto
la muy hermosa Doresta.

DOR. Señor, vengáis en buen hora.
¿Para qué de chico santo 245
queréis hacer tanta fiesta?

TUR. Sois ansí gran sancto vos,
y en vos tal gracia hallaron
que de cuantos os miraron
los más os tienen por Dios. 250
Y no digo
lo que sois para comigo.

DOR. ¡O, qué gracioso venís!
Nuestro Señor os bendiga.

¿Sabéis más que me decir? 255
TUR. Si a mí, señora, decís,
sé que me sois enemiga
porque os deseo servir.
DOR. ¿Mal lo hago todavía?
TUR. No podéis peor hacello. 260
DOR. Pues d' hoy más, si pienso en ello,
lo haré sin cortesía.
TUR. ¿Qué haréis?
DOR. Rogaros que me dejéis.
TUR. Algún enamoradillo 265
sé que esperáis vos ahora.
DOR. Más hombre que vos en todo.
TUR. Cierto, no me maravillo,
porque sois merecedora
del mayor que pisa lodo. 270
DOR. ¿No seríades muchacho?
TUR. Y aun hombre os pareceré.
DOR. Dejadme, por vuestra fe,
que no quiero vuestro empacho.
TUR. Ni queráis, 275
ni de Dios salud hayáis.
DOR. Ora, por vida de Dios,
que yo lo diga al Marqués,
y quizá por vuestro daño.
TUR. Pues si tal sale de vos, 280
yo os daré tanto mal mes
que nunca os falte mal año.
DOR. ¡Veis qué rapaz sin mesura,
cómo tiene presunción!
TUR. Pues voto al fuerte Sansón 285
de daros mala ventura,
que aquí está
quien de vos me pagará.
DOR. Pues no te tomes comigo,
que no me espantan tus motes, 290
por mucho que me amenaces;
que si a tu amo lo digo
te hará dar mil azotes,

que es castigo de rapaces.
TUR. Pues si alcanzarte pudiera, 295
por eso que agora dices
te cortara las narices,
¡doña puerca escopetera!
DOR. ¡Para vos!
TUR. ¡O reniego no de Dios! 300

JORNADA QUARTA

Him. Pues ahora, mis hermanos,
tú, Boreas, y tú, Eliso,
lo hablado se os refiere.
Yo me pongo en vuestras manos.
Ved que estéis sobre el aviso 5
mientra yo dentro estoviere.
Bor. Señor, ansí lo haremos.
Entra tú con mano diestra,
que por tu fama y la nuestra,
si conviene, moriremos. 10
Him. Yo lo creo.
Eli. Tal es, señor, el deseo.
Him. ¿Será tiempo de llamar?
Eli. Es temprano cuantoquiera,
dejemos dormir la gente. 15
Bor. Mas, señor, en tal lugar
quien tras tiempo tiempo espera,
tiempo vien que se arrepiente.
Him. Pues luego dad acá, vamos,
llegad comigo y veremos. 20
Bor. ¿Quieres, señor, que gastemos
lo que nos no concertamos?
Que Febea
sólo a ti, señor, desea.
Him. Pues solo voy.
Eli. Ve con Dios. 25

Bor. Mas vaya con el dïablo.
Eli. No, que se va santiguando.

BOR. Calla, tú, ¡cuerpo de Dios!
Cuanto yo concierto y hablo,
tanto tú me vas gastando. 30
ELI. No hago, par Dios, hermano.
BOR. Pues, cuando llamar quería,
¿por qué, de gran grosería,
dijiste que era temprano?
Qu' es locura 35
esperar mala ventura.
Porque en aquestos conciertos,
si fuésemos afrentados
demorando aquí con él,
esperando somos muertos, 40
y huyendo, deshonrados.
Y no sé qué fuera d' él.
Mas solos d' esta manera,
si quisiéremos huir,
podemos después decir 45
una mentira cualquiera.
Mi consejo
será guardar el pellejo.
ELI. Dejemos esta cuestión,
y mira que ya es entrado. 50
BOR. Pues ¿qué tienes en la mente?
ELI. Que me hables sin pasión.
Y dejando lo pasado
hablemos en lo presente.
BOR. Tengo tan poco sentido 55
y estoy tan fuera de mí,
que por no me ver aquí
no quisiera ser nacido.
ELI. Calla, hermano,
que te quejas muy temprano. 60
BOR. ¡O que haga mal vïaje
quien en tan fuerte jornada
y en tal congoja me mete!
Pues hombre de mi linaje
nunca supo qué era espada, 65
ni broquel, ni cosalete.

Yo también soy más que loco
por venir en tal lugar,
pues que no quiero matar,
ni que me maten tampoco. 70

ELI. Cuerdo eres;
hagamos lo que quisieres.

BOR. Que no esperemos batalla,
sino que luego nos vamos
por no ser muertos aquí. 75

ELI. Pues ¿si sale y no nos halla?

BOR. No faltará que digamos
si dejas hablar a mí.

ELI. Pues para todo hay remedio,
sin porqué no nos andemos; 80
cuando nada sentiremos
meteremos tierra en medio.

BOR. ¡Qué placer!
¿Y quien no puede correr?

ELI. ¿Cómo no? 85

BOR. Porque no puedo;
que son las armas pesadas
y dejallas no osaré.
También porque con el miedo
tengo las piernas cortadas,
que moverme no podré. 90

ELI. Pues deja, hermano Boreas,
las armas con que te hallas,
porque quizá por salvallas
perderás cuero y correas,
y verás 95
cuán sin pena correrás.

BOR. Pues si las armas perdiese,
nuestro amo ¿qué me diría
de cobarde y de judío?
Que si escusa no tuviese 100
para dar como cumplía,
yo me echaré en aquel río.

ELI. Pues si no puedes con ellas,
dámelas para que huyas;

que las mías y las tuyas 105
yo daré mal cabo d'ellas.

BOR. ¿Y la capa?
¿Qué dirán si se me escapa?

ELI. Para la capa ternás
dos mil excusas sobradas 110
para no poder salvalla;
que, si quisieres, dirás
que jugando a cuchilladas
te fue forzado dejalla.
Porque los hombres de guerra, 115
para poderse valer,
primero de acometer
dejan la capa por tierra.

BOR. Pues espera,
¿tendréla d' esta manera? 120

TUR. ¿Quién anda ahí?

MARQ. ¡Mueran, mueran!
¿Por dó van?

TUR. Allá han traspuesto.
Mas la capa irá comigo.

MARQ. Pese a tal, si no huyeran,
que por ventura de presto 125
llevaran un buen castigo.

TUR. Mas, señor, ¿sabes que creo
que sabrás lo que deseas?
Que esta capa es de Boreas,
un criado de Himeneo. 130

MARQ. Di que fue.

TUR. Sí, señor, en buena fe.

MARQ. ¿Cuántos eran?

TUR. Solos dos.
Y por la capa, señor,
son sus criados de aquél. 135

MARQ. Pues, voto al cuerpo de Dios,
que queda dentro el traidor.

TUR. Si tal es, doblen por él.

MARQ. Ven acá, qu'es de pensar
de qué manera haremos. 140
TUR. Señor, que luego llamemos,
pues que nos conviene entrar.
MARQ. Ciertamente
se nos irá si nos siente.
TUR. Pues ¿quieres cosa más cierta 145
por quitar este recelo
y acertar esta jornada?
Da tú una coz a la puerta
que des con ella en el suelo,
jugaremos d' antuviada. 150
Ningún temor se reciba
si entramos apercebidos,
que aun no seremos sentidos
cuando seremos arriba.
MARQ. Sús, pues, vamos, 155
que ya sobrado tardamos.
Dame esa capa tú a mí.
TUR. Toma la rodela, aosadas.
MARQ. Dala acá, que bien te entiendo.
TUR. Pues si quieres, sea ansí. 160
Y arrancadas las espadas,
vamos diciendo y haciendo.
MARQ. Pues si viniere en tus manos
y lo pudieres coger,
haz que no haya menester 165
médicos ni cirujanos.
TUR. Entra presto.
Déjame a mí hacer del resto.

JORNADA QUINTA

MARQ. ¡O mala muger, traidora!
¿Dónde vais?
TUR. Paso, señor.
FEB. ¡Ay de mí, desventurada!
MARQ. Pues ¿qué os parece, señora?
¿Para tan gran deshonor 5
habéis sido tan guardada?
Confesaos con este paje,
que conviene que muráis,
pues con la vida ensuciáis
un tan antiguo linaje. 10
Quiero daros,
que os do la vida en mataros.
FEB. Vos me sois señor y hermano.
Maldigo mi mala suerte
y el día en que fui nacida. 15
Yo me pongo en vuestra mano,
y antes os pido la muerte
que no que me deis la vida.
Quiero morir, pues que veo
que nací tan sin ventura. 20
Gozará la sepultura
lo que no pudo Himeneo.
MARQ. ¿Fue herido?
TUR. No, que los pies le han valido.
FEB. Señor, después de rogaros 25
que en la muerte que me dais
no os mostréis todo cruel,
quiero también suplicaros

que, pues a mí me matáis,
que dejéis vivir a él. 30
Porque, según le atribuyo,
si sé que muere d' esta arte,
dejaré mi mal aparte
por mejor llorar el suyo.

MARQ. Toca a vos 35
poner vuestra alma con Dios.

FEB. No me queráis congojar
con pasión sobre pasión
en mis razones finales.
Dejadme, señor, llorar, 40
que descansa el corazón
cuando revesa sus males.

MARQ. Pues contadme en qué manera
pasa todo vuestro afán.

FEB. Pláceme, porque sabrán 45
cómo muero, sin que muera,
por amores
de todo merecedores.
¡Doresta!

DOR. Ya voy, señora.

FEB. Ven acá, serás testigo 50
de mi bien y de mi mal.

TUR. Señor, es una traidora.

DOR. ¡Tú, de bondad enemigo!

MARQ. Callad, hablemos en ál.

FEB. Hablemos cómo mi suerte 55
me ha traído en este punto
do yo y mi bien todo junto
moriremos d' una muerte.
Mas primero
quiero contar cómo muero. 60
Yo muero por un amor
que por su mucho querer
fue mi querido y amado,
gentil y noble señor,
tal que por su merecer 65
es mi mal bien empleado.

No me queda otro pesar
de la triste vida mía,
sino que cuando podía,
nunca fui para gozar, 70
ni gocé,
lo que tanto deseé.
Muero con este deseo,
y el corazón me revienta
con el dolor amoroso; 75
mas si creyera a Himeneo,
no moriera descontenta,
ni le dejara quejoso.
Bien haya quien me maldice,
pues lo que él más me rogaba 80
yo más qu' él lo deseaba.
No sé por qué no lo hice,
¡guay de mí!
que muero ansí como ansí.

MARQ. ¿Sobre todos mis enojos 85
me queréis hacer creer
que nunca tal habéis hecho?
Que he visto yo por mis ojos
lo que no quisiera ver
por vuestra fama y provecho. 90

FEB. Haced, hermano, con Dios;
que yo no paso la raya,
pues mi padre, que Dios haya,
me dejó subjeta a vos,
y podéis 95
cuanto en mí hacer queréis.
Pero, pues d' esta manera
y ansí de rota abatida
tan sin duelo me matáis,
por amor de Dios siquiera, 100
dadme un momento de vida,
pues toda me la quitáis.
Y no dejéis de escucharme,
ni me matéis sin me oír,
que menos quiero vivir 105

aún que no queráis matarme;
qu' es locura
querer vida sin ventura.
No me quejo de que muero,
pues soy mortal como creo, 110
mas de la muerte traidora;
que si viniera primero
que conociera a Himeneo,
viniera mucho en buen hora.
Mas veniendo d' esta suerte, 115
tan sin razón, a mi ver,
¿cuál será el hombre o mujer
que no le doldrá mi muerte,
contemplando
por qué y dónde, cómo y cuándo? 120
Yo nunca hice traición.
Si maté, yo no sé a quién;
si robé, no lo he sabido.
Mi querer fue con razón,
y si quise, hice bien 125
en querer a mi marido.
Cuanto más que las doncellas,
mientra que tiempo tuvieren,
harán mal si no murieren
por los que mueren por ellas, 130
pues moriendo
dejan sus famas viviendo.
Pus, Muerte, ven cuandoquiera,
que yo te quiero atender
con rostro alegre y jocundo; 135
qu'el morir d'esta manera
a mí me debe placer,
y pesar a todo el mundo.
Sientan las gentes mi mal
por mayor mal de los males, 140
y todos los animales
hagan hoy nueva señal,
y las aves
pierdan sus cantos suaves.

La tierra haga temblor, 145
los mares corran fortuna,
los cielos no resplandezcan
y pierda el sol su claror,
tórnese negra la luna,
las estrellas no parezcan, 150
las piedras se pongan luto,
cesen los ríos corrientes,
séquense todas las fuentes,
no den los árbores fruto,
de tal suerte 155
que todos sientan mi muerte.

MARQ. Señora hermana, callad,
que la siento en gran manera
por vuestra suerte maldita,
y en moverme a pïedad 160
me haréis, aunque no quiera,
causaros muerte infinita.
Tened alguna cordura,
qu'es vuestro mal peligroso,
y el cirujano piadoso 165
nunca hizo buena cura.
No queráis
que sin mataros muráis.
Y si teméis el morir,
acordaos que en el nacer 170
a todos se nos concede.
Yo también oí decir
qu'es gran locura temer
lo que escusar no se puede;
y esta vida con dolor 175
no sé por qué la queréis,
pues, moriendo, viviréis
en otra vida mejor,
donde están
los que no sienten afán. 180
Y en este mar de miseria
el viejo y el desbarbado
todos afanan a una:

los pobres con la laceria,
los ricos con el cuidado, 185
los otros con la fortuna.
No temáis esta jornada;
dejad este mundo ruin
por conseguir aquel fin
para que fuistes criada. 190
Mas empero
confesaos aquí primero.

FEB. Confieso que en ser yo buena
mayor pecado no veo
que hice desque nací, 195
y merezco toda pena
por dar pasión a Himeneo
y en tomalla para mí.
Confieso que peca y yerra
la que suele procurar 200
que no gocen ni gozar
lo que ha de comer la tierra,
y ante vos
yo digo mi culpa a Dios.

MARQ. No es ésa la confisión 205
que vuestra alma ha menester;
confesaos por otra vía.

FEB. Pues a Dios pido perdón
si no fue tal mi querer
como el de quien me quería. 210
Que si fuera verdadero
mi querer como debiera,
por lo que d'él sucediera
no muriera como muero.

MARQ. Pues, señora, 215
ya me parece qu'es hora.

HIM. ¡Caballero, no os mováis!
MARQ. ¿Cómo no? ¡Mozo!
TUR. Señor.
MARQ. Llega presto.

TUR. Vesme aquí.
HIM. No braveéis si mandáis. 220
Callad y haréis mejor,
si queréis creer a mí.
MARQ. Pues ¿quién sois vos, gentil hombre?
HIM. Soy aquel que más desea
la honra y bien de Febea, 225
y es Himeneo mi nombre,
y ha de ser,
pues que fue y es mi mujer.
MARQ. Catad, pues sois caballero,
no queráis forzosamente 230
tomaros tal presunción.
HIM. No quiero Dios, ni yo quiero,
sino muy humanamente
lo que me da la razón.
Y porque con la verdad 235
se conforme mi querella,
hagamos luego con ella
que diga su voluntad,
y con todo
hágase de aqueste modo: 240
que si Febea dijere
que me quiere por marido,
pues lo soy, testigo Dios,
que pues la razón lo quiere,
no perdiendo en el partido, 245
lo tengáis por bueno vos.
Pues sabéis bien que en linaje
y en cualquier cosa que sea,
la condición de Febea
me tiene poca ventaje. 250
Y esto digo
porque vos sois buen testigo.
MARQ. Bien veo que sois iguales
para poderos casar,
y lo saben dondequiera; 255
pero digo que los tales
lo debrían negociar

	por otra mejor manera.	
HIM.	Ya sé yo poner tercero	
	donde fuere menester;	260
	pero si tomò mujer,	
	para mí solo la quiero.	
	Pues ansí	
	quise engañarme por mí.	
MARQ.	Señora, vos, ¿qué hacéis,	265
	que no decís ni habláis	
	lo que pasa entr' él y vos?	
FEB.	Yo digo que pues que veis	
	cuán mal camino lleváis,	
	que podéis iros con Dios.	270
MARQ.	¿Por qué?	
FEB.	Porque paréis mientes	
	que me quesistes matar	
	porque me supe casar	
	sin ayuda de parientes,	
	y muy bien.	275
MARQ.	Pues, gracias a Dios.	
FEB.	Amén.	
HIM.	Yo, señora, pues, ordeno	
	que se quede lo pasado,	
	si bien mataros quisiera;	
	y él hacía como bueno,	280
	y le fuera mal contado	
	si d' otro modo hiciera.	
MARQ.	No haya más, pues qu' es ya hecho.	
	Plega al divino Mesías	
	que le gocéis muchos días	285
	y que os haga buen provecho,	
	pues casastes	
	mejor de lo que pensastes.	
HIM.	Yo digo, pues que ansí es,	
	que vos nos toméis las manos	290
	por quitar estas zozobras;	
	y, si quisierdes, después	
	seamos buenos hermanos	
	y hagámosnos las obras.	

MARQ. ¿Queréis vos?
FEB. Soy muy contenta. 295
MARQ. Dad acá.
ELI. Gracias a Dios.
BOR. Sí, pues que hace por nos
en sacarnos d' esta afrenta.
MARQ. Pues veamos
qué será bien que hagamos. 300
HIM. Si vuestra merced mandare,
vámosnos a mi posada,
sentirá mis ganas todas,
y según allí ordenare
nombraremos la jornada 305
para el día de las bodas.
ELI. Pues antes que aqueso sea,
Boreas y yo, señores,
nos damos por servidores
a la señora Febea. 310
FEB. Por hermanos.
BOR. Besamos sus pies y manos.
ELI. También al señor Marqués
ofrecemos el deseo,
con perdón de lo pasado. 315
TUR. Yo también, pues que ansí es,
me do al señor Himeneo
por servidor y criado.
FEB. Mas porque nuestros afanes
nos causen cumplida fiesta, 320
casemos a mi Doresta
con uno d'estos galanes.
MARQ. ¿Y con quién?
FEB. Con el más hombre de bien.
HIM. Cada cual lo piensa ser. 325
FEB. Por cierto, todos lo son.
MARQ Pues, señora, ¿qué remedio?
FEB. Que le demos a escoger;
porque ella tiene afición
a Boreas o a Turpedio. 330

TUR. Yo, señores, no la quiero.
DOR. ¡Malos años para vos!
TUR. Pues ¡voto al cuerpo de Dios! ...
MARQ. Calla, rapaz majadero.
FEB. No haya más. 335
Toma tú cual más querrás.
HIM. Yo tomo el cargo, señora
de casaros a Doresta
si se confía de mí;
dejémoslo por agora. 340
Vámosnos, qu' es cosa honesta;
no nos tome el sol aquí.
MARQ. Pues adiós.
HIM. No quiero, nada.
MARQ. Sí, señor.
HIM. Par Dios, no vais.
MARQ. ¿Por qué no?
HIM. Porque vengáis 345
a conocer mi posada.
Holgaremos,
que cantando nos iremos.
MARQ. Pláceme por vuestro amor,
si mi hermana, vuestra esposa, 350
nos hiciere compañía.
FEB. Soy contenta.
HIM. Pues, señor,
cantemos alguna cosa
solamente por la vía.
MARQ. ¿Qué diremos?
HIM. De la gloria 355
que siente mi corazón
desque venció su pasión.
MARQ. Decid: victoria, victoria,
vencedores,
cantad victoria en amores. 360

Villancico

Victoria, victoria,
los mis vencedores,
victoria en amores.
Victoria, mis ojos,
cantad si llorastes, 365
pues os escapastes
de tantos enojos;
de ricos despojos
seréis gozadores.
Victoria en amores. 370

¡Victoria, victoria!

GLOSARIO

abad: cura párroco.
abadesa: prostituta, en lengua rufianesca.
abonda: basta.
aburro (*me*): me atrevo.
acrás; *dende acrás*: desde allí atrás.
adevinar: adivinar.
adobados: guisados.
agito: ácido, vinagre.
agraz: *Échame agraz en el ojo*. Aquí se trata de un gesto de amistad. (Gillet, III, 545.)
ahotados: confiados.
ahotas: con ánimo, valerosamente, de veras.
ál; *todo lo ál*: todo lo otro.
alboradas: música al amanecer y al aire libre.
alcamonías: alcahueterías.
an: aun.
anfenito: infinito.
anguilazos: azotes.
antepasto: entremés que se sirve al principio de la comida.
antonar el davangello: entonar (leer) el Evangelio.
antuviada (*de*): dar un golpe primero e inesperado.
aosadas: osadamente, con osadía, de veras.
apero; *por amor del apero*: en nombre del rebaño o grupo.
apostalles he: he de apostarles.
aquellotros: aquellos otros.
aqueste: este.
árbores: árboles.
arreo: continuamente.
arrisco: riesgo.

asa; *a par del asa*: amigos íntimos.
ascuchar: tal vez *a escuchar*, o forma arcaica de escuchar.
ataja: sentido antiguo, reconoce.
atambor: aquí el que toca el atambor para llamar a los reclutas.
aütán; *bebamos d'aütán*: vamos a brindar.

bachiller: hablador sutil.
badajadas: necedades; *badajos*: necios.
bagasas: rameras.
balandrán: vestidura talar ancha y con esclavina que solían usar los eclesiásticos; *negro balandrán* parece indicar que se empeñaba a veces como en el refrán "Desdichado balandrán, nunca sales de empeñado", para indicar a los que nunca pueden salir de deudas.
bando: pregón.
baqueta: tal vez un palo con que se señalaba el comienzo y final de la comida, tocando en un batintín o campana. Véase *baquetadas, Tinelaria,* II, 4.
barahunda: ruido y confusión grandes.
barrichelo: alguacil mayor, alcalde.
beata: rica.
bermejo; *mal bermejo*: rubio malo.
bestiones: baluartes.
bocal: jarro que podía contener un azumbre.
bona dies: buenos días.
bordone: perdone. Tal vez hay juego de palabras con *borde, bastardo.*
brodio: bodrio. Caldo con algunas sobras de algo, que de ordinario se daba a los pobres en las porterías de algunos conventos.
brusando las carbonadas: quemando la carne puesta a tostar sobre las ascuas.
buenos: soldados con alguna pericia, soldados aventajados.
bulrreta: diminutivo de *burla.*
bulrrona: burlona.
buz: obsequio, rendimiento, o lisonja.

cabezón: cuello de un vestido.
c'acá ahí: que acá ahí, de acá hasta aquí.
cachonda: incitada de pasión sexual.
cagallones: cagajones.
calongías: canonjía, prebenda del canónigo.

calrrín: *v.* carlín.
cámara: alcoba.
Campo de Flor: plaza grande de Roma muy concurrida de artesanos, charlatanes, ociosos, etc.
canavario: botillero.
cáncaro: cancro, cáncer.
canciller: escribano.
cantón: esquina.
caolada: potaje de coles.
capa: recursos económicos.
carlín: moneda.
cas: casa.
¡ce!: inter. para llamar o detener a una persona.
cebico: diminutivo de cebo, en el sentido de "cosilla engañosa".
cobardaz: gran cobarde.
coco: cocinero.
compaño: compañero.
compás: manera orgullosa de portarse Guzmán, porque el Capitán luego dice, "Deja andar".
comportar: soportar.
concruir: concluir.
conduta: mando.
confesionario: parroquia, beneficio.
conorte: consuele.
contumacia: pena, castigo; por *contumacia.*
convernía: convendría.
corambre: odre, vino.
correr: avergonzar, confundir.
cosaletes: corazas.
cossario: pirata, aquí *perito.*
cotal: miembro viril.
cralo: claro.
credenciero: copero, el que prueba y sirve las bebidas a su señor.
crego: clérigo.
cridemos: gritemos.
cro: creo.
crueca: clueca, es decir, engañosa como la gallina que esconde su nido.
cruel: fuerte, tieso, insistente.
cualque: alguno, cualquier.

cuartos tenéis: sois membrudo, fornido.
cuatrín: moneda antigua de poco valor.

chamelotes: camelotes, impermeables.
chantaba: tiraba.

dacá: da, o dame, acá.
despenden: gastan.
desternilla: se entiende *desternillarse de risa.*
diz: dice.
doblen por él: toquen a muerto las campanas por él.
dobras: doblas.

ejido: campo común de todos los vecinos de un pueblo, donde suelen reunirse los ganados o establecerse las eras.
embite: apuesta en el juego de naipes.
encorazados: cubiertos de corazas o cuero.
enfingen: presumen, blasonan.
engollir: engullir; véase la frase, "Comerse las manos".
enjabonar: fregar con jabón.
enseña: insignia o estandarte.
entradas: platos principales que se sirven después de la sopa.
entremés: aquí significa burla, broma, engaño.
escalco: el que trincha la carne y la sirve, tipo de mayordomo del refectorio de los criados.
escallenta: calienta.
escopetera: mujer pública que convive con soldados, buscona.
escorchando: desollando.
escrebir: inscribirse, sentar plaza.
escriptoría: despacho de notario.
esgarrar: huir.
estabros: establos.
estalas: establos.
estaros ié: os estaría.
estirados: entonados y orgullosos.
estó: estoy.
estótras: estas otras.
estricote; *traigo al estricote*: es decir, al mal traer.
expandir: extender, dilatar, ensanchar.

familla: la gente de la casa; *famillo*: familiar.

famolario: tipo de pantalón que llevaban los frailes debajo del hábito largo.
fantasía: presunción, imaginación. Véase el artículo de Gillet en la bibliografía.
Flayre: Fraile.
forfante: picarón.
fornida: acabada.
forsa: tal vez.
fratelo: hermano.
frolida: florida.
frotitas: parece ser variante de *frutillas,* cualquier comida ligera que se añade a las demás viandas.
furne; *se furne*: se abastece.
furrier: furriel; un cabo que distribuía el pan de la tropa, y cebada para los caballos.

galantería: generosidad.
gallofería: pobretones ociosos.
garañón: asno grande para cubrir las yeguas y las burras.
garrida: hermosa.
gelosía: celosía; enrejado de la ventana para mirar hacia fuera sin ser visto.
grana: encina pequeña; los versos se refieren a los rústicos.
graso: gordura.
grueso: una moneda.
guillote: inocente.

ha: hay.
habramos: hablamos.
hacas: jacas.
haldas: faldas.
her: hacer.
hidesrruines: hijos de ruines, miserables.
higa: gesto obsceno, mostrando el dedo pulgar por entre el dedo índice y el cordial.
hiproquesía: hipocresía.
hocicos: gestos de enojo o desagrado.
hu: fue.
humano: en el sentido de humanitario, magnánimo.
huý: fui.

iguala: se presume.
infantes: soldados de infantería.

jervilla: zapatilla.
jo: lo.
jostrado: virote con la cabeza redonda.
juri a mí: juro a Dios; *mí* aquí como *nos* en otras ocasiones es eufemismo por Dios. Otra manera de atenuar una blasfemia es truncarla como en *juri a san*, por *juro a san...*

laceria: miseria, pobreza.
lavandiente: trago para enjuagarse la boca.
letras dignas de cedro: documentos que merecen conservarse en cedro. El cedro embalsama e impide la corrupción, como en cofres de cedro.
levaré: hurtaré, robaré; *hombres de levada*: ladrones.
lites: pleitos.

lugo: luego.
llanos: ciertos.

malatos: enfermos.
maliciosa: podrida.
malvasía: vino de malvasía.
mancilla: lástima, compasión.
mancha: aguinaldo.
mantenrás: mantendrás.
manuales: fáciles de entender, usuales.
matinas: mañanas.
menestra: potaje, caldo.
mezo: mezclo.
minutas: cuentas.
mona: borrachera.
mos: nos.
mosotros: nosotros.
muestra: revista militar.
mula; *dar la mula*: darle una tunda o azotaina.
mulaz: mula grande.

natío; de gran *natío*: de gran cepa.
necenciados: palabra compuesta de *necio* y *licenciado*.
niembra: se me acuerda.
novela; *ruin novela*: mala noticia.
nustramo: nuestro amo.

ñudo: nudo, dificultad insoluble.

ojo tan luengo: con el ojo tan largo; es decir, el cuidado y el ansia con que se mira.
omni modo: de todas maneras.
ora: ahora.
orate: persona que ha perdido el juicio.
ordenanza: marchar en orden.
¡orza!, de *orzar*: aquí tumbarse o ladearse.

pagas muertas: soldados muertos o que ya no están en la lista por quienes se cobraba, no obstante, el sueldo.
pancera: pieza de la armadura antigua, que cubría el vientre.
paños brutos: ropa sucia.
pañotas: panes.
pardales: gorriones.
paso: pasado.
paveses: escudos grandes.
percudencia: reproche, riña.
perosinos: de Perugia, Perusia en dialecto romano.
petos de almazén: petos que forman parte del almacén, o pertrechos de guerra.
pífaro; *pífano*: el que toca la flauta.
piñata: olla.
piquer: soldado de pica; también *jarro*.
pistoliella: Epístola de la misa.
plático: experimentado, veterano.
pobreto: desdichado, infeliz, abatido.
porque: para que, cuando tiene sentido final.
pracer: placer.
prete: preste, sacerdote.
prima: a la primera comida.
probe: pobre.
proficiat: proseguid.
pujanza: poder.
puntos; *en mal punto*: en mala hora.
puto: maricón, afeminado.

quegistes: quisisteis.
quequiera: cualquier cosa.
quige: quise.

raposías: astucias, engaños.
rasero: en la expresión "por el mismo *rasero*" o "por un *rasero*" quiere decir, medir "con rigurosa igualdad, sin

la menor diferencia"; puede indicar que Manrique quiere que el Capitán le trate lo mismo que a Mendoza.
rebite: contestar con una apuesta a un envite.
rebozaros: parece significar habérselas con.
recalco: echo.
recuerdo: me despierto.
remataremos: venderemos.
remor: rumor.
renegar: blasfemar.
revellada: reverencia.
revesa: vomita, en el sentido de declarar o revelar lo que uno tiene secreto.
rota: la derrota; *rota abatida*: total pérdida o destrucción.

Sabela: Torre Sabela como Torre Nona eran cárceles de Roma.
sacalle eis: le sacaréis.
salluzaba (*çalluçaba*): aquí parece significar "babeaba" (Gillet, III, 549).
sanidad: salud.
San Juan: el día de San Juan, fiesta religiosa popular aún más conocida que la de Santa María, la Asunción de la Virgen.
Sayón: Sayo.
sernos hía: nos sería.
sin: hasta.
sin que: así que.
so: bajo, debajo de.
son: sino; también hay la forma *so*.
soncas: exclamación afirmativa.
sono: sino.
soprico: suplico.
sorrabes: desrabotar, cortar el rabo de un perro.
soslayo; *en soslayo*: engañosamente.
sotacapitán: subalterno.
¡sús!: exclamación que sirve para animar a los oyentes.

tabrero: tablero.
terrero: objeto o blanco que se pone para tirar.
tinelo: comedor de la servidumbre en las casas de los grandes señores.
tiro: hurto.
tirrias: odios, manías, disgustos.

tobajas: manteles, toallas.
todavía: con el sentido arcaico de "a la continua" o siempre.
tornés: moneda pequeña, cantidad pequeña.
torta tan ancha: pasta de grosellas que todavía en Italia se regala para Navidad.
trasterriego: en la *Comedia Trofea* de Torres Naharro se refiere a San Antón de Trasterriego; expresión burlesca con implicaciones obscenas y primitivas.
triunfemos: aquí, gastar aparatosamente.

usanza: práctica general, moda.

vagar: tiempo libre.
ventrijón: debe ser "ventrudo", "panzudo".
verde: color de esperanza.
verná: vendrá; *vernán*: vendrán.
veste: vestido.
viñales: viñas.
vitela: ternera.
voces: sonidos.

zapateta; *mortal zapateta*: salto grotesco; *mortal zapateta* debe de ser un salto mortal, quizás las últimas contracciones de un cuerpo humano, antes de expirar.

ÍNDICE DE LÁMINAS

SE TERMINÓ
DE IMPRIMIR ESTA OBRA
EL DÍA 10 DE JUNIO DE 1981

ÚLTIMOS TÍTULOS PUBLICADOS

36 / Ramón Pérez de Ayala
TINIEBLAS EN LAS CUMBRES
Edición, introducción y notas de Andrés Amorós.

37 / Juan Eugenio Hartzenbusch
LOS AMANTES DE TERUEL
Edición, introducción y notas de Salvador García.

38 / Francisco de Rojas Zorilla
DEL REY ABAJO, NINGUNO
Edición, introducción y notas de Jean Testas.

39 / Diego de San Pedro
OBRAS COMPLETAS, II. CÁRCEL DEL AMOR
Edición, introducción y notas de Keith Whinnom.

40 / Juan de Arguijo
OBRA POÉTICA
Edición, introducción y notas de Stanko B. Vranich.

41 / Alonso Fernández de Avellaneda
EL INGENIOSO HIDALGO DON QUIJOTE DE LA MANCHA, que contiene su tercera salida y es la quinta parte de sus aventuras
Edición, introducción y notas de Fernando G. Salinero.

42 / Antonio Machado
JUAN DE MAIRENA (1936)
Edición, introducción y notas de José María Valverde.

43 / Vicente Aleixandre
ESPADAS COMO LABIOS. LA DESTRUCCIÓN O EL AMOR
Edición, introducción y notas de José Luis Cano.

44 / Agustín de Rojas Villandrando
EL VIAJE ENTRETENIDO
Edición, introducción y notas de Jean Pierre Ressot.

45 / Vicente Espinel
VIDA DEL ESCUDERO MARCOS DE OBREGÓN. Tomo I
Edición, introducción y notas de M.ª Soledad Carrasco Urgoiti.

46 / Vicente Espinel
VIDA DEL ESCUDERO MARCOS DE OBREGÓN. Tomo II
Edición, introducción y notas de M.ª Soledad Carrasco Urgoiti.

47 / Diego de Torres Villarroel
VIDA, ascendencia, nacimiento, crianza y aventuras
Edición, introducción y notas de Guy Mercadier.

48 / Rafael Alberti
MARINERO EN TIERRA. LA AMANTE. EL ALBA DEL ALHELÍ
Edición, introducción y notas de Robert Marrast.

49 / Gonzalo de Berceo
VIDA DE SANTO DOMINGO DE SILOS
Edición, introducción y notas de Teresa Labarta de Chaves.

50 / **Francisco de Quevedo**
SUEÑOS Y DISCURSOS
Edición, introducción y notas de Felipe C. R. Maldonado.

51 / **Bartolomé de Torres Naharro**
COMEDIAS
Edición, introducción y notas de D. W. McPheeters.

52 / **Ramón Pérez de Ayala**
TROTERAS Y DANZADERAS
Edición, introducción y notas de Andrés Amorós.

53 / **Azorín**
DOÑA INÉS
Edición, introducción y notas de Elena Catena.

54 / **Diego de San Pedro**
OBRAS COMPLETAS, I. TRACTADO DE AMORES DE ARNALTE Y LUCENDA. SERMON
Edición, introducción y notas de Keith Whinnom.

55 / **Lope de Vega**
EL PEREGRINO EN SU PATRIA
Edición, introducción y notas de Juan Bautista Avalle-Arce.

56 / **Manuel Altolaguirre**
LAS ISLAS INVITADAS
Edición, introducción y notas de Margarita, Smerdou Altolaguirre.

57 / **Miguel de Cervantes**
VIAJE DEL PARNASO. POESÍAS COMPLETAS, I
Edición, introducción y notas de Vicente Gaos.

58 / **LA VIDA DE LAZARILLO DE TORMES Y DE SUS FORTUNAS Y ADVERSIDADES**
Edición, introducción y notas de Alberto Blecua.

59 / **Azorín**
LOS PUEBLOS. LA ANDALUCÍA TRÁGICA Y OTROS ARTÍCULOS (1904-1905)
Edición, introducción y notas de José María Valverde.

60 / **Francisco de Quevedo**
POEMAS ESCOGIDOS
Selección, introducción y notas de José Manuel Blecua.

61 / **Alfonso Sastre**
ESCUADRA HACIA LA MUERTE
LA MORDAZA
Edición, introduccion y notas de Farris Anderson.

62 / **Juan del Encina**
POESÍA LÍRICA Y CANCIONERO MUSICAL
Edición, introducción y notas de R. O. Jones y Carolyn R. Lee.

63 / **Lope de Vega**
LA ARCADIA
Edición, introducción y notas de Edwin S. Morby.

64 / **Marqués de Santillana**
POESÍAS COMPLETAS, I. Serranillas, cantares y decires. Sonetos fechos al itálico modo
Edición, introducción y notas de Manuel Durán.

65 / **POESÍA DEL SIGLO XVIII**
Selección, introducción y notas de John H. R. Polt.

66 / **Juan Rodríguez del Padrón**
SIERVO LIBRE DE AMOR
Edición, introducción y notas de Antonio Prieto.

67 / **Francisco de Quevedo**
LA HORA DE TODOS
Edición, introducción y notas de Luisa López-Grigera.

68 / Lope de Vega
SERVIR A SEÑOR DISCRETO
Edición, introducción y notas de Frida Weber de Kurlat.

69 / Leopoldo Alas Clarín
TERESA. AVECILLA.
EL HOMBRE DE LOS ESTRENOS
Edición, introducción y notas de Leonardo Romero.

70 / Mariano José de Larra
ARTÍCULOS VARIOS
Edición, introducción y notas de Evaristo Correa Calderón.

71 / Vicente Aleixandre
SOMBRA DEL PARAÍSO
Edición, introducción y notas de Leopoldo de Luis.

72 / Lucas Fernández
FARSAS Y ÉGLOGAS
Edición, introducción y notas de M.ª Josefa Canellada.

73 / Dionisio Ridruejo
PRIMER LIBRO DE AMOR. POESÍA EN ARMAS. SONETOS
Edición, introducción y notas de Dionisio Ridruejo.

74 / Gustavo Adolfo Bécquer
RIMAS
Edición, introducción y notas de José Carlos de Torres.

75 / POEMA DE MIO CID
Edición, introducción y notas de Ian Michael.

76 / Guillén de Castro
LOS MAL CASADOS DE VALENCIA
Edición, introducción y notas de Luciano García Lorenzo.

77/Miguel de Cervantes
DON QUIJOTE DE LA MANCHA, Parte I (1605)
Edición, introducción y notas de Luis Andrés Murillo.

78 / Miguel de Cervantes
DON QUIJOTE DE LA MANCHA, Parte II (1615)
Edición, introducción y notas de Luis Andrés Murillo.

79 / Luis Andrés Murillo
BIBLIOGRAFÍA FUNDAMENTAL SOBRE «DON QUIJOTE DE LA MANCHA» DE MIGUEL DE CERVANTES

80 / Miguel Mihura
TRES SOMBREROS DE COPA. MARIBEL Y LA EXTRAÑA FAMILIA
Edición, introducción y notas de Miguel Mihura.

81 / José de Espronceda
EL ESTUDIANTE DE SALAMANCA. EL DIABLO MUNDO
Edición, introducción y notas de Robert Marrast.

82 / Pedro Calderón de la Barca
EL ALCALDE DE ZALAMEA
Edición, introducción y notas de José M.ª Díez Borque.

83 / Tomás de Iriarte
EL SEÑORITO MIMADO. LA SEÑORITA MALCRIADA
Edición, introducción y notas de Russell P. Sebold.

84 / Tirso de Molina
EL BANDOLERO
Edición, introducción y notas de André Nougué.

85 / José Zorrilla
EL ZAPATERO Y EL REY
Edición, introducción y notas de Jean Louis Picoche.

86 / VIDA Y HECHOS DE ESTEBANILLO GONZÁLEZ. Tomo I
Edición, introducción y notas de N. Spadaccini y Anthony N. Zahareas.

87 / VIDA Y HECHOS DE ESTEBANILLO GONZÁLEZ. Tomo II
Edición, introducción y notas de N. Spadaccini y Anthony N. Zahareas.

88 / Fernán Caballero
LA FAMILIA DE ALVAREDA
Edición, introducción y notas de Julio Rodríguez Luis.

89 / Emilio Prados
LA PIEDRA ESCRITA
Edición, introducción y notas de José Sanchis-Banús.

90 / Rosalía de Castro
EN LAS ORILLAS DEL SAR
Edición, introducción y notas de Marina Mayoral Díaz.

91 / Alonso de Ercilla
LA ARAUCANA. Tomo I
Edición, introducción y notas de Marcos A. Morínigo e Isaías Lerner.

92 / Alonso de Ercilla
LA ARAUCANA. Tomo II
Edición, introducción y notas de Marcos A. Morínigo e Isaías Lerner.

93 / José María de Pereda
LA PUCHERA
Edición, introducción y notas de Laureano Bonet.

94 / Marqués de Santillana
POESÍAS COMPLETAS. Tomo II
Edición, introducción y notas de Manuel Durán.

95 / Fernán Caballero
LA GAVIOTA
Edición, introducción y notas de Carmen Bravo- Villasante.

96 / Gonzalo de Berceo
SIGNOS QUE APARECERÁN ANTES DEL JUICIO FINAL. DUELO DE LA VIRGEN. MARTIRIO DE SAN LORENZO
Edición, introducción y notas de Arturo Ramoneda.

97 / Sebastián de Horozco
REPRESENTACIONES
Edición, introducción y notas de F. González Ollé.

98 / Diego de San Pedro
PASION TROVADA. POESIAS MENORES DESPRECIO DE LA FORTUNA
Edición, introducción y notas de Keith Whinnom y Dorothy S. Severin.

99 / Ausias March
OBRA POÉTICA COMPLETA. Tomo I
Edición, introducción y notas de Rafael Ferreres.

100 / Ausias March
OBRA POÉTICA COMPLETA. Tomo II
Edición, introducción y notas de Rafael Ferreres.

101 / Luis de Góngora
LETRILLAS
Edición, introducción y notas de Robert Jammes.

102 / Lope de Vega
LA DOROTEA
Edición, introducción y notas de Edwin S. Morby

103 / Ramón Pérez de Ayala
TIGRE JUAN Y EL CURANDERO DE SU HONRA
Edición, introducción y notas de Andrés Amorós.